A GRANDE ESPERANÇA

Viva com a certeza de que tudo vai terminar bem

Prezado pastor:

A Divisão Sul-Americana tem a honra e alegria de lhe entregar este livro, que tem duplo significado: é a marca do mais ousado projeto missionário de todos os tempos e a expressão de profundo reconhecimento pelo seu trabalho como arauto da Grande Esperança.

Maranata!

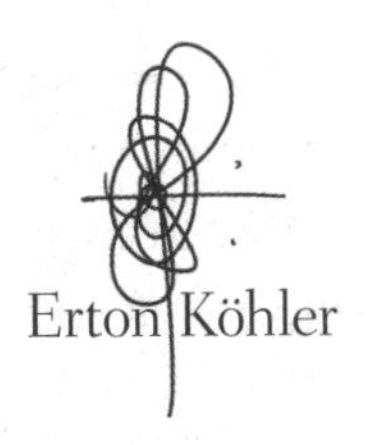

Erton Köhler

A GRANDE ESPERANÇA

Viva com a certeza de que tudo vai terminar bem

Ellen G. White

Tradução
Hélio L. Grellmann

Casa Publicadora Brasileira
Tatuí, SP

Capítulos selecionados do original em inglês:
From Here to Forever

Direitos de tradução e publicação em língua portuguesa reservados à
Casa Publicadora Brasileira
Rodovia SP 127 – km 106
Caixa Postal 34 – 18270-970 – Tatuí, SP
Tel.: (15) 3205-8800 – Fax: (15) 3205-8900
Atendimento ao cliente: (15) 3205-8888
www.cpb.com.br

1ª edição – 15 milhões de exemplares
2011

Editoração: Márcio Dias Guarda e Matheus Cardoso
Projeto Gráfico: Levi Gruber
Capa: Eduardo Olszewski (montagem sobre fotos de ShutterStock, William de Moraes e Stockxpert)

IMPRESSO NO BRASIL / Printed in Brazil

Os textos bíblicos são extraídos da Nova Versão Internacional.
O eventual uso de outras versões é indicado como segue:
ARA – Almeida Revista e Atualizada, 2ª edição;
ARC – Almeida Revista e Corrigida.

Dados Internacionais de Catalogação na Publicação (CIP)
(Câmara Brasileira do Livro, SP, Brasil)

White, Ellen G., 1827-1915.
A grande esperança : viva com a certeza de que tudo vai terminar bem / Ellen G. White ; tradução Hélio L. Grellmann. – Tatuí, SP : Casa Publicadora Brasileira, 2011.

Título original: From here to forever.

1. Bíblia – Profecias 2. Cristianismo 3. Escatologia 4. Vida futura I. Título.

11-04259 CDD-236

Índices para catálogo sistemático:

1. Escatologia : Teologia cristã 236

Tipologia: Fairfield Light, 11,3/15 – 12335/23619 – ISBN 978-85-345-1408-8

Sumário

A vitória da esperança 7
1 Por que existe o sofrimento? 10
2 A paz verdadeira 18
3 Vida para sempre 28
4 Falsa esperança 38
5 Seduções perigosas 45
6 Nossa única segurança 53
7 Em defesa da verdade 58
8 O destino do mundo 64
9 Esperança real 74
10 O grande resgate 85
11 A vitória do amor 96

A vitória da esperança

Todos nós acompanhamos com muita emoção o resgate dos 33 mineiros que ficaram soterrados por 69 dias a quase 700 metros de profundidade em uma mina de ouro e cobre no norte do Chile.

A mina de San José, no deserto de Atacama, sofreu um desabamento no dia 5 de agosto de 2010. Nos primeiros 17 dias, não houve comunicação com o exterior. Os mineiros sobreviveram com duas colheres de atum enlatado, um gole de leite e meio biscoito, a cada 48 horas.

Somente no dia 22 de agosto, quando a perfuração conseguiu chegar ao local em que os trabalhadores estavam confinados, veio a mensagem de José Ojeda: "Estamos bem no refúgio, os 33." Então a esperança de salvamento deixou de ser uma miragem para ganhar contornos de uma possibilidade remota.

A confirmação de que os mineiros estavam vivos e confiantes de que os técnicos, o governo e todos os envolvidos no resgate fariam os maiores esforços e usariam a melhor tecnologia levou novo ânimo ao Acampamento Esperança, montado pelas famílias, nas proximidades da entrada da mina, logo após o acidente.

A partir daí, os trabalhos foram acelerados e três diferentes planos de resgate passaram a ser executados. Havia muito que fazer, era necessário correr contra o tempo, mas sem atropelar a segurança. Foram mais 33 dias de trabalho intenso e cuidadoso, até que o duto rompesse todas as camadas de rocha e os detalhes finais do resgate começassem a ser equacionados.

O Acampamento Esperança ficava cada vez mais agitado, com os familiares acompanhando os trabalhos e a chegada de jornalistas de muitos países para realizar a cobertura do evento. Finalmente, depois de 69 dias de espera – recorde absoluto em termos de sobrevivência –, a cápsula Phoenix 2 traz à superfície, um a um, todos os 33 mineiros, sãos e salvos.

Essas últimas duas palavras – que usamos de forma quase habitual, sem pensar no seu significado – resumem com precisão a condição dos mineiros ao saírem da sua sepultura rochosa: todos exibiam excelente saúde e vitalidade, além de muitas demonstrações de renovação espiritual, desde que receberam as mini Bíblias, enviadas pela Igreja Adventista do Sétimo Dia, até a decisão de usarem as camisetas que estampavam a inscrição "Graças, Senhor" e a mensagem de Salmo 95:4. E, mais recentemente, quase todos os resgatados, juntamente com familiares, cumpriram um roteiro espiritual na Palestina, que incluiu até batismo nas águas do rio Jordão.

Esse fato, ainda bem vivo na memória de todos nós, é mais uma demonstração da importância da fé, da esperança e do amor – as três principais virtudes cristãs. A fé é como um braço forte com o qual nos agarramos à onipotência divina. A esperança se fundamenta na fé, mas também se alimenta das evidências da história e das verdades reveladas por Deus, e focaliza o futuro. Inclui muito de expectativa e desejo, enquanto atua para mudar as realidades do presente. Nesse ponto é que entra o amor, a melhor motivação para agir, para modificar a história. Esse é o combustível de todas as boas ações.

O livro que você tem em mãos é parte de uma grande campanha desenvolvida nos últimos anos em favor da esperança, com o objetivo de discutir uma visão do futuro para mudar o presente. É uma seleção de apenas 11 capítulos curtos, simples, mas provocativos. Discutem algumas das questões que mais interessam a todos nós, como: o porquê do sofrimento, a verdadeira paz, a vida após a morte e a vitória final do amor de Deus.

Eles seguem uma ordem lógica, que começa com a origem dos problemas e termina com a solução definitiva. Mas entre esses dois extremos cada um de nós tem que viver o seu dia a dia e nesse ponto é que a esperança faz toda a diferença.

Temos crises por todos os lados. Quem fica apático ou apavorado está se colocando fora do alcance da solução. Por outro lado, quem aceita questionar, esperar e participar entra num círculo virtuoso que inclui outros elementos, também tratados neste livro, como: Deus, um guia seguro, a verdade.

A boa notícia é que há uma luz no fim. E essa luz está chegando até nós, para iluminar o nosso caminho. Reflita na mensagem deste pequeno livro que apresenta uma grande proposta. Quem tem esperança, tem um grande futuro.

Os editores

Por que existe o sofrimento?

Muitas pessoas veem os resultados do mal, com suas misérias e desolação, e questionam como ele pode existir no reino de um Deus infinito em sabedoria, poder e amor. Aqueles que estão dispostos a duvidar, utilizam isso como desculpa para rejeitar os ensinos da Bíblia. A tradição e a interpretação errônea têm obscurecido o ensino da Bíblia sobre o caráter de Deus, a natureza de Seu governo e a maneira como Ele trata com o pecado.

É impossível explicar a origem dos sofrimentos humanos de modo a dar a razão de sua existência. Apesar disso, pode-se compreender o suficiente sobre a origem e término do pecado, a fim de que seja percebida a justiça e bondade de Deus. Ele não é, de modo algum, o responsável pelo surgimento do pecado. Ele não retirou arbitrariamente Sua graça, nem houve qualquer imperfeição em Seu governo, para dar motivo à rebelião. O pecado é um intruso, e não pode ser oferecida razão alguma para sua existência. Desculpá-lo significa defendê-lo. Se fosse possível encontrar uma justificativa para ele, deixaria de ser pecado. O pecado é a atuação de um princípio contrário à lei do amor, que é o fundamento do governo divino.

Antes da manifestação do mal, havia paz e alegria por todo o Universo. O amor a Deus era supremo, e era imparcial o amor de uns para com os outros. Cristo era um com o eterno Pai em natureza, caráter e propósito – o único que poderia entrar nas decisões e propósitos de Deus. "NEle foram criadas todas as coisas nos céus e na Terra, as visíveis e as invisíveis, sejam tronos ou soberanias, poderes ou autoridades; todas as coisas foram criadas por Ele e para Ele" (Colossenses 1:16).

Sendo que a lei do amor é o fundamento do governo de Deus, a felicidade de todas as criaturas dependia de sua perfeita harmonia com os princípios de justiça dessa lei. Deus não tem prazer na submissão forçada, mas concede a todos o poder da escolha, para que possam prestar-Lhe obediência voluntária.

Houve, porém, alguém que preferiu deturpar essa liberdade. O pecado se originou com aquele que, depois de Cristo, havia sido o mais honrado por Deus. Antes do pecado, Lúcifer era o primeiro dos querubins guardiões, santo e incontaminado. A respeito dele, Deus afirma: "Você era o modelo da perfeição, cheio de sabedoria e de perfeita beleza. Você estava no Éden, no jardim de Deus; todas as pedras preciosas o enfeitavam [...]. Você foi ungido como um querubim guardião, pois para isso Eu o designei. Você estava no monte santo de Deus e caminhava entre as pedras fulgurantes. Você era inculpável em seus caminhos desde o dia em que foi criado até que se achou maldade em você. [...] Seu coração tornou-se orgulhoso por causa da sua beleza, e você corrompeu a sua sabedoria por causa do seu esplendor. [...] Você pensa que é sábio, tão sábio quanto Deus" (Ezequiel 28:12-15, 17, 6). "Você, que dizia no seu coração: Subirei aos Céus; erguerei o meu trono acima das estrelas de Deus; eu me assentarei no monte da assembleia, no ponto mais elevado do monte santo. Subirei mais alto que as mais altas nuvens; serei como o Altíssimo" (Isaías 14:13, 14).

Ao cobiçar a honra que o infinito Pai havia concedido a Seu Filho, esse chefe dos anjos aspirou ao poder que pertencia somente a Cristo.

Naquele momento, uma nota dissonante desfez a harmonia celestial. Na mente dos anjos, para quem a glória de Deus era suprema, a exaltação própria era um prenúncio de grandes males. Nas reuniões celestiais, todos argumentavam com Lúcifer. O Filho de Deus lhe apresentava a bondade e justiça do Criador e a natureza sagrada de Sua lei. Ao afastar-se dela, Lúcifer desonraria seu Criador e traria ruína sobre si mesmo. Mas as advertências apenas despertavam atitude de resistência. Lúcifer permitiu que prevalecesse sua inveja em relação a Cristo.

O orgulho alimentou o desejo de supremacia. As honras concedidas a Lúcifer não despertavam gratidão para com o Criador. Ele desejava ser igual a Deus. Porém, o Filho de Deus era o reconhecido Soberano do Céu, igual ao Pai em autoridade e poder. De todas as reuniões divinas, Cristo participava, mas não era permitido a Lúcifer penetrar no conhecimento dos propósitos divinos. "Por quê", perguntava o poderoso anjo, "deveria Cristo ter a supremacia? Por que Ele é honrado acima de mim?"

Descontentamento entre os anjos – Ao deixar a presença de Deus, Lúcifer saiu difundindo o descontentamento entre os anjos. Ele agia de maneira dissimulada e escondia seu verdadeiro propósito aparentando ter reverência a Deus. Também esforçava-se em provocar insatisfação pelas leis que governavam os seres celestiais, insinuando que elas impunham uma restrição desnecessária. Sendo que os anjos possuem uma natureza santa, Lúcifer insistia em que eles deveriam obedecer unicamente sua consciência. Pensava que Deus o tratara de maneira injusta ao conceder honra suprema a Cristo. Lúcifer alegava não pretender a exaltação própria, e sim liberdade para todos os habitantes do Céu, a fim de que pudessem alcançar condição mais elevada de existência.

Deus tolerou Lúcifer durante muito tempo. Não foi rebaixado de sua posição elevada, nem mesmo quando começou a apresentar suas pretensões diante dos anjos. Inúmeras vezes lhe foi oferecido o perdão, com a condição de que se arrependesse e abandonasse seu orgulho. Esforços, que apenas o amor e a sabedoria infinitos poderiam conceber, foram feitos para convencê-lo de seu erro. O descontentamento nunca antes havia sido conhecido no Céu. Inicialmente, nem o próprio Lúcifer compreendeu a verdadeira natureza de seus sentimentos. Depois de ser mostrado a ele que sua insatisfação era sem motivo, convenceu-se de que as reivindicações divinas eram justas e de que deveria reconhecer esse fato diante de todos os habitantes do Céu. Se Lúcifer tivesse feito isso, poderia ter salvo a si mesmo e a muitos anjos. Caso houvesse desejado voltar a Deus, satisfeito por ocupar o lugar a ele designado, teria sido reintegrado em seu cargo. Mas o orgulho o impediu de submeter-se. Continuou a pensar que não necessitava se arrepender, e entregou-se por completo ao grande conflito contra o Criador.

> Inúmeras vezes lhe foi oferecido o perdão, com a condição de que se arrependesse e abandonasse seu orgulho.

Todas as habilidades de sua mente brilhante foram então dedicadas ao engano, a fim de conseguir a simpatia dos anjos. Satanás simulou haver sido julgado de forma errada, e disse que os demais desejavam privá-lo de sua liberdade. Depois de interpretar de maneira equivocada as palavras de Cristo, passou à falsidade aberta, acusando o Filho de Deus de tentar humilhá-lo diante dos habitantes do Céu.

A todos aqueles que Lúcifer não pôde corromper e levar para o seu lado, ele acusou de ser indiferentes aos interesses dos seres celestiais. Representou com falsidade o Criador. Era sua tática deixar os anjos perplexos ao utilizar argumentos enganosos a respeito dos propósitos divinos. Tudo o que era simples ele envolvia em mistério, e por meio de astuta perversão lançava dúvida às mais claras afirmações de Deus. Seu elevado cargo dava maior força às alegações. Muitos foram induzidos a se unir a ele na rebelião.

A desafeição torna-se aberta revolta – Deus, em Sua sabedoria, permitiu a Satanás continuar sua obra, até que a atitude de desafeição amadurecesse e se tornasse uma visível revolta. Era necessário que seus planos fossem completamente desenvolvidos, para que seu verdadeiro caráter fosse visto por todos. Lúcifer era grandemente amado pelos seres celestiais, e sua influência sobre eles era forte. O governo de Deus incluía não somente os habitantes do Céu, mas de todos os planetas que Ele havia criado. Por isso, Satanás pensou que, se pudesse levar à rebelião os anjos do Céu, poderia também levar outros mundos. Utilizando sofismas e mentiras, ele tinha grande poder para enganar. Mesmo os anjos fiéis não podiam discernir perfeitamente seu caráter ou ver quais seriam as consequências daquilo.

Satanás havia sido tão honrado, e todos os seus atos eram tão misteriosos, que era difícil aos anjos desvendar a verdadeira natureza de suas ações. Antes que tivesse um desenvolvimento completo, o pecado não pareceria o mal que em realidade era. Seres santos não eram capazes de perceber as consequências de desprezar a lei divina. Inicialmente, Satanás havia alegado estar promovendo a honra de Deus e o bem de todos os habitantes do Céu.

Ao lidar com o pecado, Deus poderia utilizar somente a justiça e a verdade. Satanás podia fazer uso daquilo que Deus não usaria: lisonja e engano. O verdadeiro caráter do usurpador deveria ser compreendido por todos. Seria necessário tempo para que ele mostrasse quem realmente é através de suas más ações.

Satanás atribuiu a Deus a discórdia que o seu próprio procedimento havia causado no Céu. Ele declarou que todo o mal era provocado pela maneira como Deus administrava o Céu. Por isso, era necessário que Satanás demonstrasse suas verdadeiras pretensões, ao revelar as consequências das mudanças propostas na lei de Deus. Suas próprias ações deveriam condená-lo. Todo o Universo deveria ver o enganador desmascarado.

Mesmo quando foi decidido que Satanás não poderia mais permanecer no Céu, a Sabedoria infinita não o destruiu. A submissão das criaturas de Deus deve ser motivada pela convicção a respeito de Sua justiça. Os habitantes do Céu e de outros mundos, estando despreparados para compreender as consequências do pecado, não perceberiam a justiça e a misericórdia de Deus caso Ele destruísse Satanás. Se este fosse destruído imediatamente, os outros teriam servido a Deus por medo em vez de amor. A influência do enganador não teria sido completamente extinta, e nem eliminada a atitude de rebelião. Para o bem do Universo através das futuras eras, Satanás deveria desenvolver plenamente suas intenções, para que todos os seres criados pudessem perceber corretamente as acusações dele contra o governo divino.

A rebelião de Satanás deveria ser para o Universo um testemunho a respeito dos terríveis resultados do pecado. Seu governo mostraria quais os frutos de se rejeitar a autoridade divina. A história dessa terrível experiência de rebelião deveria ser um meio de proteção permanente a todas as criaturas, livrando-as de cometer pecado e sofrer o castigo por ele.

Quando foi anunciado que, juntamente com todos os simpatizantes de Satanás, ele deveria ser expulso das habitações celestiais, o líder dos rebeldes confessou ousadamente seu desprezo pela lei do Criador. Denunciou os estatutos divinos como restrição à sua liberdade e declarou que seu objetivo era conseguir a abolição dessa lei. Livres dessa restrição, os anjos poderiam alcançar condição de existência mais elevada.

Banidos do Céu – Satanás e suas hostes lançaram a culpa de sua rebelião sobre Cristo. Afirmaram que, se não houvessem sido censurados, não teriam se rebelado. Eram obstinados e arrogantes, ao mesmo tempo que, blasfemando, pretendiam ser vítimas inocentes do poder opressor. Em resultado disso, o grande rebelde e seus seguidores foram banidos do Céu (veja Apocalipse 12:7-9).

A atitude de Satanás ainda inspira a rebelião na Terra, entre os desobedientes. Assim como ele, muitos pretendem que os seres humanos alcançam liberdade ao transgredir a lei de Deus. A reprovação ao pecado ainda desperta ódio. Satanás leva as pessoas a justificar-se e a procurar o apoio de outros em seu pecado. Em vez de corrigirem seus erros, indignam-se contra aquele que aponta os erros, como se fosse ele a causa do problema.

Assim como, no Céu, Satanás representou de maneira distorcida o caráter de Deus, fazendo com que Ele fosse considerado severo e tirano, Satanás induziu a humanidade a pecar. Declarou que as injustas restrições de Deus haviam levado o ser humano à queda, assim como determinaram sua própria rebelião.

Banindo Satanás do Céu, Deus demonstrou Sua justiça e honra. Entretanto, quando o ser humano pecou, Deus ofereceu uma prova de amor, entregando Seu Filho para morrer pela raça pecadora. Em Cristo, o caráter de Deus é revelado. O poderoso argumento da cruz demonstrou que o governo de Deus não era a causa do pecado. Durante a vida terrestre do Salvador, o grande enganador foi desmascarado. Sua pretensão, ousada e blasfema, de que Cristo deveria adorá-lo (veja Mateus 4:8-10), a contínua maldade que atacava Jesus de um lugar a outro, inspirando o coração de sacerdotes e povo a rejeitar Seu amor, e o brado: "Crucifica-O! Crucifica-O!" – tudo isso despertou o assombro e a indignação do Universo. O príncipe do mal exerceu todo o seu poder e engano para destruir Jesus. Satanás utilizou seres humanos como seus agentes, a fim de encher de sofrimento e tristeza a vida do Salvador. Os fogos da inveja e maldade, ódio e vingança, irromperam na cruz contra o Filho de Deus.

Na cruz, a culpa de Satanás foi claramente apresentada. Ele revelou seu verdadeiro caráter. Suas mentirosas acusações contra o caráter de Deus apareceram como realmente são. Ele havia acusado a Deus de exaltar a Si mesmo ao requerer obediência de Suas criaturas, e declarara que, embora o Criador exigisse abnegação de todos os outros, Ele próprio não a praticava e não fazia sacrifício algum. Na morte de Cristo, foi visto que o Governante do Universo havia realizado o máximo sacrifício que o amor poderia efetuar, pois "Deus em Cristo estava reconciliando consigo o mundo" (2 Coríntios 5:19). Cristo, a fim de destruir o pecado, humilhou-Se e foi obediente até a morte.

Em favor do ser humano – Todo o Céu viu a justiça de Deus revelada. Lúcifer havia declarado que a raça pecadora estava além da possibilidade de salvação. Mas a penalidade da lei recaiu sobre Jesus, que era igual a Deus, permitindo ao ser humano aceitar a salvação e, através de arrependimento e humildade, triunfar sobre o poder de Satanás.

Mas não foi meramente para salvar o ser humano que Cristo veio à Terra e aqui morreu. Ele veio para demonstrar a todos os mundos que a lei de Deus é imutável. A morte de Cristo prova que ela não pode ser modificada e demonstra que a justiça e a misericórdia são o fundamento do governo de Deus. Na execução final do juízo, será visto que não existe motivo para o pecado. Quando o Juiz de toda a Terra perguntar a Satanás: "Por que você se rebelou contra Mim?", o originador do mal não poderá apresentar resposta alguma.

Deus ofereceu uma prova de Seu amor, entregando Seu Filho para morrer pela raça pecadora.

No grito agonizante do Salvador na cruz – "Está consumado!" – soou a sentença de morte de Satanás. O grande conflito foi resolvido naquele momento, a eliminação definitiva do mal se tornou certa. "Vem o dia, ardente como uma fornalha. Todos os arrogantes e todos os malfeitores serão como palha, e aquele dia, que está chegando, ateará fogo neles, diz o Senhor dos Exércitos. Não sobrará raiz ou galho algum" (Malaquias 4:1).

O mal jamais se manifestará outra vez. A lei de Deus será honrada como a lei da liberdade. Criaturas provadas nunca mais se desviarão da fidelidade Àquele cujo caráter foi manifestado como expressão de amor ilimitado e infinita sabedoria.

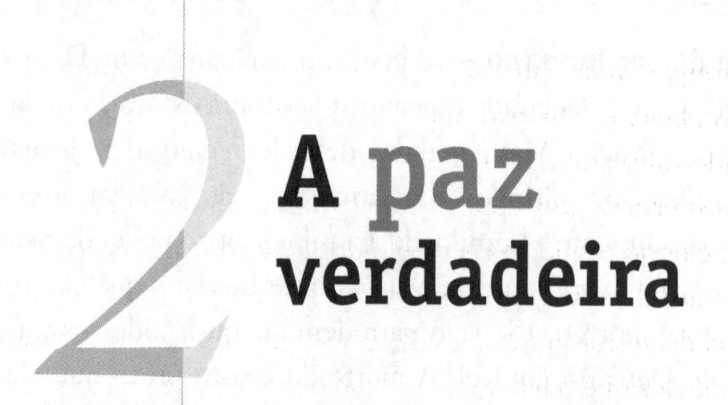

2 A paz verdadeira

Em todos os lugares em que a Palavra de Deus tenha sido fielmente proclamada, seguiram-se resultados que provaram sua origem divina. Pecadores tiveram a consciência despertada. Coração e mente eram tomados de profunda convicção. As pessoas tinham uma intuição da justiça de Deus, e exclamavam: "Quem me livrará do corpo desta morte?" (Romanos 7:24, ARA). Ao ser-lhes revelada a cruz, viram que nada, exceto os méritos de Cristo, seria suficiente para alcançar o perdão por suas transgressões. Pelo sangue de Jesus tiveram o livramento dos "pecados anteriormente cometidos" (Romanos 3:25).

Essas pessoas creram e foram batizadas, e se levantaram para andar em nova vida. Pela fé no Filho de Deus, começaram a seguir Seus passos, refletir Seu caráter, e purificar-se como Ele é puro. As coisas que antes odiavam, agora amavam; e as que antes amavam, passaram a odiar. Os orgulhosos se tornaram humildes, os vaidosos e arrogantes passaram a ser recatados e acessíveis. Os ébrios se tornaram sóbrios; os devassos, puros. Os cristãos entendem que "a beleza [...] não deve estar nos enfeites exteriores, como cabelos trançados e joias de ouro ou roupas finas. Ao contrário", deve estar "no ser interior, que não perece, beleza demonstrada num espírito dócil e tranquilo, o que é de grande valor para Deus" (1 Pedro 3:3, 4).

Os despertamentos espirituais costumavam ser constituídos de solenes apelos ao pecador. Os resultados eram vistos nas pessoas que não recuavam da abnegação, mas se alegravam por serem consideradas dignas de sofrer por amor a Cristo. Era percebida uma transformação naqueles que haviam professado o nome de Jesus. Esses eram, em anos passados, os resultados dos avivamentos religiosos.

Muitos dos despertamentos dos tempos modernos têm, no entanto, apresentado notável contraste. É verdade que muitas pessoas pretendem estar convertidas, e há grande busca por igrejas. Apesar disso, os resultados não demonstram que houve aumento correspondente da verdadeira espiritualidade. A luz que brilha por algum tempo logo desaparece.

Avivamentos populares muitas vezes estimulam as emoções, satisfazendo o amor por aquilo que é novo e surpreendente. Pessoas que se tornaram cristãs dessa maneira sentem pouco desejo de ouvir as verdades bíblicas. A menos que o culto tenha um caráter sensacional, não lhes é atraente.

Para toda pessoa verdadeiramente convertida, o relacionamento com Deus e com as coisas eternas é o grande objetivo da vida. Onde, nas igrejas populares de hoje, existe a atitude de consagração a Deus? Os conversos não renunciam ao orgulho e amor ao mundanismo. Não estão mais dispostos a negar-se, tomar a cruz e seguir o manso e humilde Jesus, do que antes da conversão. O poder da espiritualidade quase desapareceu de muitas igrejas.

Apesar do generalizado declínio da fé, há verdadeiros seguidores de Cristo nessas igrejas. Antes que os juízos de Deus caiam finalmente na Terra, haverá, entre o povo de Deus, um reavivamento da primitiva espiritualidade como não foi testemunhado desde os tempos apostólicos. O Espírito de Deus será derramado. Muitos se separarão das igrejas em que o amor ao mundo substituiu o amor a Deus e à Sua Palavra.

Muitos líderes e o restante das pessoas aceitarão alegremente as grandes verdades que preparam um povo para a segunda vinda do Senhor.

O inimigo deseja impedir isso, e antes que chegue o tempo para tal movimento, ele se esforçará para produzir uma imitação. Nas igrejas que puder colocar debaixo de seu poder, fará parecer que a bênção especial foi concedida. Multidões exultarão, dizendo: "Deus está agindo de maneira maravilhosa", quando na verdade a obra é de outro espírito. Sob o disfarce religioso, Satanás procurará estender sua influência sobre o mundo cristão. Haverá um estímulo emotivo, mistura do verdadeiro com o falso, muito apropriado para iludir.

À luz da Palavra de Deus, contudo, não é difícil descobrir a verdadeira origem desses movimentos. Em todos os lugares em que as pessoas negligenciem o ensino da Bíblia, desviando-se das verdades claras que servem para testar a cada um, e que requerem a renúncia ao pecado, podemos estar certos de que ali não está presente a bênção de Deus. Segundo a regra de que "vocês os reconhecerão por seus frutos" (Mateus 7:16), é evidente que esses movimentos não são obra do Espírito de Deus.

As verdades da Palavra de Deus são um escudo contra os enganos de Satanás. Negligenciar essas verdades abriu a porta aos males que agora se generalizam no mundo. Tem-se perdido de vista, em grande medida, a importância da lei de Deus. Uma compreensão equivocada sobre a lei divina tem provocado erros a respeito da conversão e santificação, rebaixando a prática religiosa. Nisso está o segredo da falta do Espírito de Deus nos reavivamentos de nossa época.

A lei da liberdade – Muitos guias religiosos afirmam que Cristo, em Sua morte, aboliu a lei. Alguns a representam como um pesado fardo e, em contraste com a "escravidão" da lei, apresentam a "liberdade" que pode ser desfrutada através do evangelho.

Porém, não era assim que os profetas e apóstolos consideravam a santa lei de Deus. Escreveu Davi: "Andarei em verdadeira liberdade, pois tenho buscado os Teus preceitos" (Salmo 119:45). O apóstolo Tiago se refere aos Dez Mandamentos como "a lei perfeita, que traz a liberdade" (Tiago 1:25). O apóstolo João pronuncia uma bênção sobre todos os que "obedecem aos mandamentos de Deus" (Apocalipse 12:17; 14:12).

Se tivesse sido possível mudar a lei ou deixá-la de lado, Cristo não precisaria ter morrido para salvar o ser humano da penalidade do pecado. O Filho de Deus veio para "tornar grande e gloriosa a Sua lei" (Isaías 42:21). Disse Jesus: "Não pensem que vim abolir a Lei ou os Profetas; não vim abolir, mas cumprir. [...] Enquanto existirem céus e Terra, de forma alguma desaparecerá da Lei a menor letra ou o menor traço" (Mateus 5:17, 18). A respeito de Si próprio, Cristo declara: "Tenho grande alegria em fazer a Tua vontade, ó Meu Deus; a Tua lei está no fundo do Meu coração" (Salmo 40:8).

Para toda pessoa verdadeiramente convertida, o relacionamento com Deus e com as coisas eternas é o grande objetivo da vida.

A lei de Deus não muda, pois é uma revelação de Seu caráter. Deus é amor, e Sua lei também o é. "O amor é o cumprimento da Lei" (Romanos 13:10). Diz o salmista: "A Tua lei é a verdade"; "Todos os Teus mandamentos são justos" (Salmo 119:142, 172). Paulo declara: "A Lei é santa, e o mandamento é santo, justo e bom" (Romanos 7:12). Uma lei assim precisa ser tão duradoura quanto o seu Autor.

O objetivo da conversão e santificação é reconciliar as pessoas com Deus, pondo-as em harmonia com os princípios de Sua lei. Logo depois da criação, o ser humano estava em perfeita harmonia com a lei de Deus. O pecado, porém, afastou-o do Criador. O coração estaria em guerra contra os princípios da lei de Deus. "A mentalidade da carne é inimiga de Deus porque não se submete à Lei de Deus, nem pode fazê-lo" (Romanos 8:7). Mas "Deus tanto amou o mundo que deu o Seu Filho Unigênito" (João 3:16) para que o ser humano pudesse ser reconciliado com Deus, restaurado à harmonia com o seu Criador. Essa mudança é o novo nascimento, sem o qual a pessoa não "pode ver o Reino de Deus" (João 3:3).

Convicção do pecado – O primeiro passo na reconciliação com Deus é estar convicto do pecado. "Pecado é a transgressão da Lei" (1 João 3:4). "É mediante a Lei que nos tornamos plenamente conscientes do pecado" (Romanos 3:20). A fim de ver sua culpa, o pecador deve examinar seu caráter à luz do espelho de Deus, o qual mostra a perfeição de um viver justo e habilita-o a perceber seus defeitos.

A lei revela ao ser humano os seus pecados, mas não provê uma solução. Ela declara que a morte é o salário do transgressor. Somente o evangelho de Cristo pode livrá-lo da condenação ou contaminação do pecado. Ele deve se arrepender diante de Deus, cuja lei transgrediu, e ter fé em Cristo, seu perfeito sacrifício. Assim ele obtém perdão pelos "pecados anteriormente cometidos" (Romanos 3:25) e se torna filho de Deus.

Estaria a pessoa, depois disso, em liberdade para transgredir a lei de Deus? Diz Paulo: "Anulamos então a Lei pela fé? De maneira nenhuma! Ao contrário, confirmamos a Lei" (Romanos 3:31). "Nós, os que morremos para o pecado, como podemos continuar vivendo nele?" (Romanos 6:2). João declara: "Nisto consiste o amor a Deus: em obedecer aos Seus mandamentos. E os Seus mandamentos não são pesados" (1 João 5:3). Durante o novo nascimento, o coração é posto em harmonia com Deus, em conformidade com a Sua lei. Quando ocorre essa transformação no pecador, ele passa da morte para a vida, da transgressão e rebelião para a obediência e lealdade. Terminou a velha vida; começou uma vida nova, de reconciliação, fé e amor. A partir desse momento, as "justas exigências da Lei" serão cumpridas "em nós, que não vivemos segundo a carne, mas segundo o Espírito" (Romanos 8:4). A fala do coração será: "Como eu amo a Tua lei! Medito nela o dia inteiro" (Salmo 119:97).

Sem a lei de Deus, as pessoas não possuem verdadeira convicção do pecado e não sentem necessidade de arrependimento. Não percebem a necessidade do sangue purificador de Cristo. A esperança da salvação é aceita sem uma mudança radical do coração ou reforma da vida. São comuns tais conversões superficiais, e multidões se unem às igrejas sem nunca ter se unido a Cristo.

O que é ser santo? – Teorias equivocadas sobre a santificação também são causadas pela negligência ou rejeição da lei divina. Essas teorias, falsas na doutrina e perigosas nos resultados práticos, são, de modo geral, aceitas pelas multidões.

Paulo declara: "A vontade de Deus é que vocês sejam santificados" (1 Tessalonicenses 4:3). A Bíblia ensina claramente o que é santificação e como deve ser alcançada. O Salvador orou pelos discípulos: "Santifica-os na verdade; a Tua Palavra é a verdade" (João 17:17). E Paulo ensina que os cristãos devem ser santificados "pelo Espírito Santo" (Romanos 15:16).

Qual é a obra do Espírito Santo? Jesus disse aos discípulos: "Quando o Espírito da verdade vier, Ele os guiará a toda a verdade" (João 16:13). Acrescenta o salmista: "A Tua lei é a verdade" (Salmo 119:142). Sendo que a lei de Deus é santa, justa e boa, o caráter formado pela obediência à lei deve ser santo. Cristo é o exemplo perfeito de um caráter assim. Diz Ele: "Tenho obedecido aos mandamentos de Meu Pai" (João 15:10); "Sempre faço o que Lhe agrada" (João 8:29). Os seguidores de Cristo devem se tornar semelhantes a Ele; pela graça de Deus devem formar um caráter em harmonia com os princípios de Sua santa lei. Isso é santificação bíblica.

Fé sem obediência? – Essa tarefa pode ser realizada somente pela fé em Cristo, pelo poder do Espírito de Deus habitando em nós. O cristão sentirá as insinuações do pecado, mas travará luta constante contra ele. Para isso, o auxílio de Cristo é necessário. A fraqueza humana se une à força divina, e a fé exclama: "Graças a Deus, que nos dá a vitória por meio de nosso Senhor Jesus Cristo" (1 Coríntios 15:57).

A santificação é progressiva. Quando, na conversão, o pecador encontra paz com Deus, está apenas iniciando a vida cristã. A partir de então, deve avançar "para a maturidade" (Hebreus 6:1), crescendo até "a medida da plenitude de Cristo" (Efésios 4:13). Paulo afirma: "Prossigo para o alvo, a fim de ganhar o prêmio do chamado celestial de Deus em Cristo Jesus" (Filipenses 3:14).

Aqueles que experimentam a santificação bíblica, manifestarão humildade. Veem sua própria indignidade em contraste com a perfeição do Deus infinito. O profeta Daniel foi exemplo de genuína santificação. Em vez de pretender ser puro e santo, esse honrado profeta se identificou com os israelitas que verdadeiramente eram pecadores, enquanto orava a Deus por seu povo (veja Daniel 9:15, 18, 20; 10:11).

Aqueles que andam à sombra da cruz do Calvário, não terão exaltação própria ou orgulhosa pretensão quanto a estar livres do pecado. Eles sentem que seu pecado causou a agonia que partiu o coração do Filho de Deus, e esse pensamento os leva à humildade. Aqueles que vivem mais perto de Jesus, percebem mais claramente a fragilidade e pecaminosidade do ser humano, e sua única esperança está nos méritos do Salvador.

A santificação que frequentemente é ensinada no mundo religioso produz exaltação própria e desrespeito à lei de Deus, e isso mostra que ela é contrária à Bíblia. Seus defensores ensinam que a santificação é algo instantâneo, pela qual, através da "fé somente", alcançam perfeita santidade. "Apenas creia", dizem eles, "e a bênção será sua." Pressupõe-se que não seja necessário qualquer outro esforço por parte da pessoa que recebe a santidade. Ao mesmo tempo, negam a autoridade da lei de Deus, insistindo que estão livres da obrigação de guardar os mandamentos. Mas será possível que alguém seja santo sem estar em harmonia com os princípios que expressam a natureza e vontade de Deus?

O ensino da Palavra de Deus é contra essa falsa doutrina da fé sem obediência. Não é fé, e sim presunção, pretender a aprovação do Céu sem cumprir as condições necessárias para que a bênção seja concedida (veja Tiago 2:14-24).

Ninguém se engane com a crença de que pode se tornar santo enquanto transgride voluntariamente um dos mandamentos de Deus. Cometer um pecado conhecido silencia a voz do Espírito Santo e separa de Deus a pessoa. Embora João trate tão amplamente do amor, não hesita em revelar o verdadeiro caráter daqueles que pretendem ser santos ao mesmo tempo que transgridem a lei de Deus. "Aquele que diz: 'Eu O conheço', mas não obedece aos Seus mandamentos, é mentiroso, e a verdade não está nele. Mas, se alguém obedece à Sua palavra, nele verdadeiramente o amor de Deus está aperfeiçoado" (1 João 2:4, 5). Esse é o critério para testar as afirmações humanas. Se as pessoas depreciam e consideram de pouca importância os preceitos de Deus, se violam um desses mandamentos e assim ensinam aos outros, podemos saber que suas pretensões não possuem fundamento (veja Mateus 5:18, 19).

Quando alguém afirma estar sem pecado, isso é em si mesmo uma evidência de que tal pessoa está longe da santidade. Ela não tem verdadeira concepção da infinita pureza e santidade de Deus, nem da malignidade e horror do pecado. Quanto maior a distância entre a pessoa e Cristo, tanto mais justa ela parecerá a seus olhos.

> Durante o novo nascimento, o coração é posto em harmonia com Deus, em conformidade com a Sua lei.

Santidade bíblica – A santificação envolve todo o ser: espírito, alma e corpo (veja 1 Tessalonicenses 5:23). Os cristãos são solicitados a apresentar seu corpo em "sacrifício vivo, santo e agradável a Deus" (Romanos 12:1). Toda prática que enfraqueça a força física ou mental inabilita a pessoa a servir seu Criador. Aqueles que amam a Deus de todo o coração, estarão constantemente procurando pôr toda habilidade do ser em harmonia com as leis que os tornarão aptos a fazer a vontade divina. Não enfraquecerão nem contaminarão, pela transigência com maus desejos, a oferta que apresentam a seu Pai celestial.

Toda transigência pecaminosa tende a amortecer a capacidade e a destruir o poder de percepção mental e espiritual. A Palavra de Deus ou o Espírito Santo poderão impressionar o coração apenas de maneira muito fraca. "Purifiquemo-nos de tudo o que contamina o corpo e o espírito, aperfeiçoando a santidade no temor de Deus" (2 Coríntios 7:1).

Quantos pretensos cristãos degradam sua semelhança com Deus através da gula, da bebida alcoólica e dos prazeres proibidos! E a igreja muitas vezes incentiva o mal, a fim de encher o seu tesouro, o qual o amor a Cristo é demasiado fraco para prover. Se Jesus entrasse nas igrejas de hoje e visse as festas realizadas em nome da religião, não expulsaria a esses profanadores, assim como baniu do templo os cambistas?

"Acaso não sabem que o corpo de vocês é santuário do Espírito Santo que habita em vocês, que lhes foi dado por Deus, e que vocês não são de si mesmos? Vocês foram comprados por alto preço. Portanto, glorifiquem a Deus com o seu próprio corpo" (1 Coríntios 6:19, 20). Aquele cujo corpo é o templo do Espírito Santo, não se escravizará por hábitos nocivos. Suas habilidades pertencem a Cristo. Sua propriedade é do Senhor. Como poderia desperdiçar o capital que lhe é entregue?

Pretensos cristãos gastam anualmente somas consideráveis de dinheiro com transigências nocivas. Deus é roubado nos dízimos e ofertas, enquanto consomem no altar dos prazeres destruidores mais do que dão para socorrer os pobres ou para o sustento do evangelho. Se todos os que afirmam seguir a Cristo fossem verdadeiramente santificados, seus meios, em vez de serem gastos com desnecessárias e nocivas práticas, reverteriam para o tesouro do Senhor. Os cristãos dariam um exemplo de temperança e sacrifício. Seriam a luz do mundo.

"A cobiça da carne, a cobiça dos olhos e a ostentação dos bens" (1 João 2:16) controlam as massas. Os seguidores de Cristo, porém, possuem uma vocação mais elevada. "Portanto, saiam do meio deles e separem-se, diz o Senhor. Não toquem em coisas impuras, e Eu os receberei" (2 Coríntios 6:17). Aos que satisfazem essas condições, a promessa de Deus é: "[Eu] lhes serei Pai, e vocês serão Meus filhos e Minhas filhas, diz o Senhor todo-poderoso" (2 Coríntios 6:18).

Acesso direto a Deus – Cada passo de fé e obediência leva a pessoa a uma relação mais íntima com Jesus, a Luz do mundo. Os brilhantes raios do Sol da justiça resplandecem sobre os servos de Deus, e estes devem refletir Seus raios. Os astros nos falam de uma grande luz no céu, cuja glória refletem. Da mesma forma, os cristãos devem mostrar que, no trono do Universo, há um Deus cujo caráter é digno de louvor e imitação. A santidade de Seu caráter será manifestada em Suas testemunhas.

Por meio dos méritos de Cristo, temos acesso ao trono do Poder infinito. "Aquele que não poupou Seu próprio Filho, mas O entregou por todos nós, como não nos dará juntamente com Ele, e de graça, todas as coisas?" (Romanos 8:32). Diz Jesus: "Se vocês, apesar de serem maus, sabem dar boas coisas aos seus filhos, quanto mais o Pai que está nos Céus dará o Espírito Santo a quem O pedir!" (Lucas 11:13); "O que vocês pedirem em Meu nome, Eu farei" (João 14:14); "Peçam e receberão, para que a alegria de vocês seja completa" (João 16:24).

É privilégio de cada um viver de tal maneira que Deus o aprove e abençoe. Não é da vontade de nosso Pai celestial que vivamos com medo e em trevas. Andar cabisbaixo e com o coração cheio de preocupações não é prova de verdadeira humildade. Podemos ir a Jesus e ser purificados, permanecendo diante da lei de Deus sem desonra ou remorso.

Por meio de Jesus, os decaídos filhos de Adão se tornam "filhos de Deus". Ele "não Se envergonha de chamá-los irmãos" (Hebreus 2:11). A vida cristã deve ser de fé, vitória e alegria em Deus. "A alegria do Senhor os fortalecerá" (Neemias 8:10). "Alegrem-se sempre. Orem continuamente. Deem graças em todas as circunstâncias, pois esta é a vontade de Deus para vocês em Cristo Jesus" (1 Tessalonicenses 5:16-18).

São esses os frutos da conversão e santificação bíblica. Pelo fato de os grandes princípios da justiça apresentados na lei de Deus serem considerados com tanta indiferença é que esses frutos são tão raramente testemunhados. É por isso que tão pouco é visto da profunda e contínua obra do Espírito Santo, a qual marcava os avivamentos do passado.

Somos transformados pela contemplação. Negligenciando os preceitos sagrados, nos quais Deus revelou aos seres humanos a perfeição e santidade de Seu caráter, e atraindo a mente do povo a teorias e ensinos humanos, o que poderá haver de estranho no declínio da espiritualidade na igreja? Somente à medida que a lei de Deus for restabelecida à sua posição correta, poderá haver avivamento da primitiva fé e espiritualidade entre o Seu povo.

3 Vida para sempre

Aquele que provocou a rebelião no Céu desejava levar os habitantes da Terra a se unirem a ele na guerra contra Deus. Adão e Eva haviam sido perfeitamente felizes enquanto obedeciam à lei divina. Isso era um constante testemunho contra a alegação em que Satanás insistiu no Céu, de que a lei de Deus era opressora. Satanás estava decidido a provocar a queda de nossos primeiros pais, com o objetivo de tomar posse da Terra e aqui estabelecer o seu reino em oposição ao Senhor.

Adão e Eva tinham sido advertidos contra esse perigoso adversário, mas ele agiu nas trevas, ocultando suas intenções. Utilizando como seu intermediário a serpente, na época uma criatura de fascinante aparência, dirigiu-se a Eva: "Foi isto mesmo que Deus disse: Não comam de nenhum fruto das árvores do jardim?" Eva arriscou-se a argumentar com ele, e caiu vítima de seu engano. "Respondeu a mulher à serpente: 'Podemos comer do fruto das árvores do jardim, mas Deus disse: Não comam do fruto da árvore que está no meio do jardim, nem toquem nele; do contrário vocês morrerão'" (Gênesis 3:1-3). "Então, a serpente disse à mulher:

Certamente não morrereis. Porque Deus sabe que, no dia em que dele comerdes, se abrirão os vossos olhos, e sereis como Deus, sabendo o bem e o mal" (Gênesis 3:4, 5, ARC).

Eva cedeu e, através de sua influência, Adão foi levado a pecar. Aceitaram as palavras da serpente; desconfiaram de seu Criador, e imaginaram que Ele estava restringindo a liberdade deles.

Deus disse: "No dia em que dela comer, certamente você morrerá" (Gênesis 2:17). Mas como Adão compreendeu o sentido dessas palavras? Deveria ele ser promovido a uma condição mais elevada de existência? Adão não achou que esse era o sentido da sentença divina. Deus declarou que, como penalidade de seu pecado, o ser humano voltaria à terra de onde fora tirado: "Você é pó, e ao pó voltará" (Gênesis 3:19). As palavras de Satanás: "Seus olhos se abrirão", mostraram-se verdadeiras em apenas um sentido: os olhos deles se abriram para perceber sua própria tolice. Conheceram de fato o mal e provaram o amargo resultado da transgressão.

A árvore da vida possuía o poder de perpetuar a vida. Adão poderia ter continuado a desfrutar de livre acesso àquela árvore, e assim teria vivido para sempre. Quando pecou, entretanto, foi afastado da árvore da vida e tornou-se sujeito à morte. A imortalidade havia sido perdida pela transgressão. Não teria havido esperança para a raça pecadora se, pelo sacrifício de Seu Filho, Deus não tivesse trazido novamente a imortalidade ao seu alcance. É verdade que "a morte veio a todos os homens, porque todos pecaram" (Romanos 5:12), mas Cristo "trouxe à luz a vida e a imortalidade por meio do evangelho" (2 Timóteo 1:10). A imortalidade só pode ser obtida através de Cristo. "Quem crê no Filho tem a vida eterna; já quem rejeita o Filho não verá a vida" (João 3:36).

A primeira mentira – O único que prometeu vida na desobediência foi o grande enganador. A declaração da serpente no Éden: "Certamente não morrerão", foi o primeiro discurso a respeito da imortalidade da alma. Apesar disso, essa afirmação, que está baseada apenas na autoridade de Satanás, é recebida pela maior parte da humanidade tão facilmente como o foi pelos nossos primeiros pais. Afirma-se que a sentença divina: "A alma que pecar, essa morrerá" (Ezequiel 18:20, ARA), em realidade significa: A alma que pecar *não* morrerá, mas viverá eternamente. Se o livre acesso à árvore da vida tivesse sido permitido ao ser humano após a queda, o pecado teria sido imortalizado. Mas não foi permitido a nenhum membro da família de Adão participar do fruto que concede vida eterna. Não há, portanto, nenhum pecador imortal.

Depois da queda, Satanás ordenou a seus anjos que difundissem a crença na imortalidade natural do ser humano. Ao induzirem o povo a receber esse erro, deveriam levá-lo a concluir que o pecador viveria em eterna desgraça. Hoje o príncipe das trevas representa Deus como um tirano vingativo, declarando que Ele mergulha num inferno todos aqueles que não Lhe agradam e que, enquanto se contorcem em chamas eternas, o Criador olha para eles com satisfação. Assim o chefe dos demônios reveste com seus próprios atributos o Benfeitor da humanidade. A crueldade é satânica. Deus é amor. Satanás é o inimigo que leva o ser humano a pecar, e então o destrói, se o pode fazer. Quão repugnante ao amor, misericórdia e justiça é a ideia de que os perdidos são atormentados num inferno eternamente a arder, e que pelos pecados de uma vida tão breve serão torturados enquanto Deus existir!

Onde, na Palavra de Deus, é encontrado tal ensino? Deverão os sentimentos da humanidade ser trocados pela crueldade selvagem? Não, esse não é o ensino da Palavra de Deus. "Juro pela Minha vida, palavra do Soberano, o Senhor, que não tenho prazer na morte dos ímpios, antes tenho prazer em que eles se desviem dos seus caminhos e vivam. Voltem! Voltem-se dos seus maus caminhos!" (Ezequiel 33:11).

Porventura Deus Se agrada em contemplar incessantes torturas? Alegra-Se com os gemidos e gritos de sofredoras criaturas, por Ele mantidas em chamas? Poderão esses terríveis sons ser música aos ouvidos do Amor infinito? Que terrível blasfêmia! A glória de Deus não é exaltada ao ser perpetuado o pecado ao longo de eras sem fim.

O erro do tormento eterno – O mal tem sido promovido através da heresia do tormento eterno. A religião da Bíblia, repleta de amor e bondade, é obscurecida pela superstição e revestida de terror. Satanás tem apresentado o caráter de Deus de maneira distorcida. Nosso misericordioso Criador é temido e até mesmo odiado. As opiniões aterrorizadoras sobre Deus têm produzido milhões de céticos e ateus.

O tormento eterno é uma das falsas doutrinas, o vinho das abominações que "Babilônia" faz todas as nações beberem (veja Apocalipse 14:8; 17:2). Se nos desviamos dos ensinos da Palavra de Deus, aceitando falsas doutrinas porque foram ensinadas por nossos pais, recebemos a condenação pronunciada sobre "Babilônia". Estamos bebendo do vinho de suas abominações.

A imortalidade só pode ser obtida através de Cristo.

Muitas pessoas são levadas ao erro oposto: percebem que a Bíblia representa Deus como um Ser de amor e compaixão, e não conseguem crer que Ele envie Suas criaturas às labaredas de um inferno a arder eternamente. Mas, ao crerem que a alma é imortal, concluem que toda a humanidade será salva. Dessa maneira, o pecador pode viver em prazeres egoístas, não se importando com os mandamentos de Deus, e ainda assim receber a aprovação divina. Tal doutrina, que reconhece a misericórdia de Deus, mas ignora Sua justiça, agrada ao coração não transformado.

Todos serão salvos? – Aqueles que creem na salvação universal distorcem a Bíblia. Muitos repetem a falsidade apresentada pela serpente no Éden: "Certamente não morrereis. Porque Deus sabe que, no dia em que dele comerdes, se abrirão os vossos olhos, e sereis como Deus, sabendo o bem e o mal." Essas pessoas declaram que os piores pecadores – assassinos, ladrões, adúlteros – depois da morte estarão preparados para entrar na bem-aventurança eterna. Agradável fábula, muito apropriada para satisfazer o coração pecaminoso!

Se fosse verdade que a alma vai diretamente para o Céu no momento da morte, seria correto desejar mais a morte do que a vida. Por essa crença, muitos têm sido levados a acabar com a própria existência. Dominados por dificuldades e frustrações, parece fácil romper o fio da vida e voar para as bênçãos do mundo eterno.

Deus deu em Sua Palavra prova conclusiva de que punirá os transgressores de Sua lei. Será Ele demasiado misericordioso para exercer justiça sobre o pecador? Basta contemplar a cruz do Calvário. A morte do Filho de Deus mostra que "o salário do pecado é a morte" (Romanos 6:23) e que toda violação da lei de Deus precisa ser punida. Cristo, que não tinha pecado, tornou-Se pecado pelo ser humano. Suportou a culpa da transgressão e o ocultamento da face do Pai, até que Seu coração fosse partido e Sua vida se desfizesse. Todo esse sacrifício foi feito para que os pecadores pudessem ser salvos. E todos aqueles que se recusam a receber o perdão providenciado a tal custo devem carregar sua própria culpa e castigo da transgressão.

As condições são apresentadas – "A quem tiver sede, darei de beber gratuitamente da fonte da água da vida" (Apocalipse 21:6). Essa promessa é apenas para aqueles que têm sede. "O vencedor herdará tudo isto, e Eu serei seu Deus e ele será Meu filho" (Apocalipse 21:7). As condições são especificadas. Para receber a recompensa, teremos de alcançar a vitória.

"Para os ímpios, no entanto, nada irá bem" (Eclesiastes 8:13). O pecador está "acumulando ira contra si mesmo, para o dia da ira de Deus, quando se revelará o Seu justo julgamento. Deus 'retribuirá a cada um conforme o seu procedimento'. [...] Haverá tribulação e angústia para todo ser humano que pratica o mal" (Romanos 2:5, 6, 9).

"Nenhum imoral, ou impuro, ou ganancioso, que é idólatra, tem herança no Reino de Cristo e de Deus" (Efésios 5:5). "Felizes os que lavam as suas vestes, e assim têm direito à árvore da vida e podem entrar na cidade pelas portas. Fora ficam os cães, os que praticam feitiçaria, os que cometem imoralidades sexuais, os assassinos, os idólatras e todos os que amam e praticam a mentira" (Apocalipse 22:14, 15).

Deus declarou aos seres humanos qual é o Seu método de tratar com o pecado. "Todos os rebeldes serão destruídos" (Salmo 37:38). A autoridade do governo divino será utilizada para eliminar a rebelião, mas as manifestações da justiça que retribui serão correspondentes ao caráter de Deus, que é misericordioso e bondoso.

Deus não força a vontade. Ele não tem prazer na obediência escrava. Deseja que aqueles criados por Suas mãos O amem porque Ele é digno de amor. Deseja que Lhe obedeçam porque reconhecem de maneira inteligente Sua sabedoria, justiça e benevolência.

Os princípios do governo divino estão em harmonia com o mandamento do Salvador: "Amem os seus inimigos" (Mateus 5:44). Deus executa justiça sobre os ímpios para o bem do Universo, e até mesmo para o bem daqueles sobre quem Seus juízos são executados. Ele os faria felizes, caso fosse possível. Deus os cerca de manifestações de Seu amor e lhes oferece Sua misericórdia. Porém, eles desprezam Seu amor, anulam Sua lei e rejeitam Sua misericórdia. Constantemente recebem as dádivas de Deus, e ainda assim desonram o Doador. O Senhor tolera por muito tempo a perversidade deles; mas jamais acorrentará esses rebeldes a Seu lado, forçando-os a fazer Sua vontade.

Despreparados para entrar no Céu – Aqueles que escolheram o mal não estão preparados para comparecer à presença de Deus. Orgulho, engano, devassidão e crueldade fixaram-se em seu caráter. Como eles poderiam entrar no Céu, para morar eternamente com aqueles a quem odiaram na Terra? A verdade nunca será agradável ao mentiroso; a humildade não satisfará o orgulhoso; a pureza não é aceitável ao corrupto; o amor abnegado não parece atraente ao egoísta. Que fonte de alegria poderia o Céu oferecer para aqueles que se acham absorvidos em interesses egoístas?

Poderiam aqueles que têm o coração cheio de ódio a Deus, à verdade e à santidade, unir-se à multidão celestial e aos seus cânticos de louvor? Muito tempo lhes foi concedido, porém jamais exercitaram a mente no amor à pureza. Jamais aprenderam a linguagem do Céu. Então, será tarde demais.

Uma vida de rebeldia contra Deus os desqualificou para o Céu. A pureza e santidade desse lugar seriam uma tortura para eles; a glória de Deus seria um fogo consumidor. Desejariam fugir daquele santo lugar e dariam boas-vindas à destruição, para que pudessem esconder-se da face de quem morreu para salvá-los. O destino dos perdidos é determinado por sua própria escolha. Sua exclusão do Céu é espontânea, da parte deles, e justa e misericordiosa da parte de Deus. Como as águas do Dilúvio de Noé, o julgamento do grande dia confirma o veredicto divino, de que os ímpios são incorrigíveis. A vontade deles foi exercitada na rebelião. Ao terminar a vida, é tarde demais para alterarem seus pensamentos da transgressão para a obediência, do ódio para o amor.

Dois destinos – "O salário do pecado é a morte, mas o dom gratuito de Deus é a vida eterna em Cristo Jesus, nosso Senhor" (Romanos 6:23). Enquanto que a vida é a herança dos justos, a morte é o destino dos ímpios. A "segunda morte" é contrastada com a vida eterna (veja Apocalipse 20:14).

Em consequência do pecado de Adão, a morte passou a toda a raça humana. Todos igualmente descem à sepultura. E através do plano da salvação, todos ressuscitarão. "Haverá ressurreição tanto de justos como de injustos" (Atos 24:15). "Da mesma forma como em Adão todos morrem, em Cristo todos serão vivificados" (1 Coríntios 15:22). Porém, existe uma distinção entre os dois grupos de pessoas que ressuscitam. "Todos os que estiverem nos túmulos ouvirão a Sua voz e sairão; os que fizeram o bem ressuscitarão para a vida, e os que fizeram o mal ressuscitarão para serem condenados" (João 5:28, 29).

Fim do sofrimento – Aqueles que foram "considerados dignos" da ressurreição da vida (Lucas 20:35), são "felizes e santos". "A segunda morte não tem poder sobre eles" (Apocalipse 20:6). Mas aqueles que não receberam o perdão, através de arrependimento e fé, receberão o "salário do pecado", ou seja, a punição "conforme o seu procedimento" (Romanos 2:6), que finaliza com a "segunda morte".

Visto ser impossível para Deus salvar os pecadores em seu pecado, Ele os priva da existência, que perderam por suas transgressões, e da qual mostraram ser indignos. "Um pouco de tempo, e os ímpios não mais existirão; por mais que você os procure, não serão encontrados" (Salmo 37:10).

Assim será o fim do pecado. João, no Apocalipse, ouve uma antífona universal de louvor, não perturbada por qualquer nota de desarmonia (veja Apocalipse 7:9-12). Não haverá almas perdidas para blasfemarem de Deus, contorcendo-se em tormento interminável. Não existirão seres infelizes no inferno, unindo seus gritos aos cânticos dos salvos.

> **Deus não força a vontade. Ele não tem prazer na obediência escrava.**

A doutrina de que o ser humano está consciente na morte baseia-se no erro de que ele possui imortalidade inata. Assim como o tormento eterno, essa doutrina contradiz os ensinos da Bíblia, a razão e nossos sentimentos de humanidade.

Segundo a crença popular, os salvos no Céu conhecem tudo o que ocorre na Terra. Mas como poderiam os mortos ser felizes sabendo das dificuldades dos vivos, vendo-os suportar todas as tristezas, desapontamentos e angústias da vida? Quão revoltante é a crença de que, logo que o fôlego deixa o corpo, a alma do perdido é entregue às chamas!

O que diz a Bíblia? O ser humano não está consciente na morte. "Sai-lhes o espírito, e eles tornam para a terra; naquele mesmo dia perecem os seus pensamentos" (Salmo 146:4, ARC). "Os vivos sabem que morrerão, mas os mortos nada sabem [...]. Para eles o amor, o ódio e a inveja há muito desapareceram; nunca mais terão parte em nada do que acontece debaixo do Sol" (Eclesiastes 9:5, 6). "A sepultura não pode louvar-Te, a morte não pode cantar o Teu louvor. Aqueles que descem à cova não podem esperar pela Tua fidelidade. Os vivos, somente os vivos, Te louvam, como hoje estou fazendo" (Isaías 38:18, 19). "Quem morreu não se lembra de Ti. Entre os mortos, quem Te louvará?" (Salmo 6:5).

Paulo escreve: "Se os mortos não ressuscitam, nem mesmo Cristo ressuscitou. E, se Cristo não ressuscitou, inútil é a fé que vocês têm, e ainda estão em seus pecados. Neste caso, também os que dormiram em Cristo estão perdidos" (1 Coríntios 15:16-18). Se durante quatro mil anos, os justos, ao morrer, tivessem ido diretamente para o Céu, como poderia Paulo haver dito que, se não há ressurreição, "os que dormiram em Cristo estão perdidos"?

Finalmente imortais – Quando estava para deixar Seus discípulos, Jesus lhes disse que um dia estariam com Ele: "Vou preparar-lhes lugar. E se Eu for e lhes preparar lugar, voltarei e os levarei para Mim, para que vocês estejam onde Eu estiver" (João 14:2, 3). Paulo também afirma que "dada a ordem, com a voz do arcanjo e o ressoar da trombeta de Deus, o próprio Senhor descerá dos Céus, e os mortos em Cristo ressuscitarão primeiro. Depois nós, os que estivermos vivos seremos arrebatados com eles nas nuvens, para o encontro com o Senhor nos ares. E assim estaremos com o Senhor para sempre". E acrescenta: "Consolem-se uns aos outros com essas palavras" (1 Tessalonicenses 4:16-18). Na vinda do Senhor, as algemas do túmulo serão quebradas e os "mortos em Cristo" ressuscitarão para a vida eterna.

Todos serão julgados de acordo com as coisas escritas nos livros e recompensados segundo suas ações. Esse juízo não ocorre por ocasião da morte. Deus "estabeleceu um dia em que há de julgar o mundo com justiça" (Atos 17:31). "O Senhor vem com milhares de milhares de Seus santos, para julgar a todos" (Judas 14, 15).

Se, porém, os mortos já estão desfrutando da bem-aventurança celestial ou contorcendo-se nas chamas do inferno, que necessidade há de um juízo futuro? A Palavra de Deus pode ser entendida por todos. Que mente imparcial, contudo, é capaz de ver sabedoria ou justiça nessa falsa teoria? Ao entrarem no Céu, Jesus dirá: "Muito bem, servo bom e fiel! [...] Venha e participe da alegria do seu Senhor!" (Mateus 25:21). Porém, como os justos poderão receber esse elogio se estiveram morando em Sua presença durante longos séculos? E serão os ímpios convocados do lugar do tormento eterno a fim de receber novamente a sentença do Juiz?

A teoria da imortalidade da alma foi uma das falsidades que os cristãos tomaram emprestadas do paganismo. Lutero classificou-a entre as "monstruosas fábulas que fazem parte do lixo romano das decretais" (E. Petavel, *The Problem of Immortality*, p. 255). A Bíblia, entretanto, ensina que os mortos dormem até a ressurreição.

Bendito descanso para o justo exausto! Seja longo ou breve o tempo em que permanece na sepultura, parece-lhe apenas um breve momento. "A trombeta soará, os mortos ressuscitarão incorruptíveis e nós seremos transformados. [...] Quando, porém, o que é corruptível se revestir de incorruptibilidade, e o que é mortal, de imortalidade, então se cumprirá a palavra que está escrita: 'A morte foi destruída pela vitória'" (1 Coríntios 15:52, 54).

Quando os salvos são chamados de seu profundo sono, o pensamento deles começa exatamente onde havia parado. A última sensação foi a agonia da morte; o último pensamento, o de que estavam sendo dominados pela sepultura. Ao se levantarem da tumba, seu primeiro alegre pensamento será expressado na triunfante aclamação: "Onde está, ó morte, a sua vitória? Onde está, ó morte, o seu aguilhão?" (1 Coríntios 15:55).

4 Falsa esperança

A doutrina da imortalidade da alma, vinda da filosofia pagã, substituiu a verdade de que "os mortos nada sabem" (Eclesiastes 9:5). Multidões creem que os espíritos dos mortos são enviados à Terra.

A doutrina de que os espíritos dos mortos retornam para ajudar os vivos é a base do moderno espiritualismo. Se os mortos são privilegiados com conhecimento que supera em muito o que possuíam antes, por que não voltariam à Terra para instruir os vivos? Se os espíritos dos mortos estão próximos de seus amigos na Terra, por que não poderiam comunicar-se com estes? Como aqueles que creem no estado consciente dos mortos poderiam rejeitar o que lhes vem como "luz divina" transmitida por espíritos glorificados? Esse é um meio de comunicação considerado sagrado, mas através do qual Satanás atua. Anjos caídos aparecem como mensageiros do mundo dos espíritos.

O inimigo tem o poder de trazer à presença das pessoas a aparência de seus amigos falecidos. A imitação é perfeita, e é reproduzida com maravilhosa exatidão. Muitos são consolados com a afirmação de que seus queridos estão desfrutando do Céu. Sem suspeitar do perigo, dão ouvidos a "espíritos enganadores e a doutrinas de demônios" (1 Timóteo 4:1).

Muitas pessoas acreditam que aqueles que morreram sem estar preparados estão felizes no Céu, e nesse lugar ocupam elevadas posições. Supostos visitantes do mundo dos espíritos às vezes proferem avisos e advertências que demonstram ser corretos. Então, estando ganha a confiança, apresentam doutrinas que contrariam a Bíblia. O fato de declararem algumas verdades, e poderem às vezes predizer acontecimentos futuros, dá às suas declarações uma aparência de crédito, de modo que seus falsos ensinos são aceitos. A lei de Deus é rejeitada, o Espírito Santo é desprezado. Os espíritos negam a divindade de Cristo e colocam o Criador no mesmo nível em que eles próprios estão.

É verdade que os resultados de fraudes muitas vezes são apresentados como manifestações genuínas, mas tem havido também grandes exibições de poder sobrenatural, atuação direta dos anjos maus. Muitos creem que isso é meramente uma impostura humana. Porém, quando confrontados com manifestações que não podem deixar de considerar sobrenaturais, serão enganados e levados a aceitá-las como o grande poder de Deus.

Através do auxílio satânico os magos do faraó puderam imitar o milagre de Deus (veja Êxodo 8:6, 7). Paulo afirma que a segunda vinda do Senhor seria antecedida pela "ação de Satanás, com todo o poder, com sinais e com maravilhas enganadoras" e o "uso de todas as formas de engano da injustiça" (2 Tessalonicenses 2:9, 10). E João declara: "Realizava grandes sinais, chegando a fazer descer fogo do céu à Terra, à vista dos homens. Por causa dos sinais que lhe foi permitido realizar, [...] enganou os habitantes da Terra" (Apocalipse 13:13, 14). Nesses textos não são preditas meras imposturas. As pessoas são enganadas por sinais que os agentes de Satanás realmente efetuam, e não por aquilo que eles fingem realizar.

Apelo ao intelecto – A pessoas de cultura e educação, o espiritualismo é apresentado em seus aspectos mais refinados e intelectuais.

Agrada a imaginação com cenas encantadoras e descrições eloquentes de amor e caridade. As pessoas são levadas a terem tão grande orgulho da própria sabedoria, a ponto de no coração desprezarem o Eterno.

Satanás seduz hoje as pessoas assim como seduziu Eva no Éden, tornando-as ambiciosas de exaltação própria: "Sereis como Deus, sabendo o bem e o mal" (Gênesis 3:5, ARC). Hoje ele ensina que "o ser humano é uma criatura suscetível de progresso em direção à Divindade". E ainda: "O julgamento será correto, porque é o julgamento de si mesmo. O tribunal está dentro de você." Também declara: "Todo ser justo e perfeito é Cristo."

Assim, Satanás afirma que a natureza do ser humano é a única norma para o juízo, quando, em realidade, é uma natureza corrompida. Isso é "progresso", não para cima, mas para baixo. O ser humano jamais estará acima de sua norma de pureza ou bondade. Se ele mesmo é seu mais elevado ideal, nunca atingirá qualquer coisa superior a isso. Somente a graça de Deus tem poder para elevar o ser humano. Deixado a si mesmo, seu caminho será em direção para baixo.

Não importa como vivemos? – O espiritualismo é apresentado sob disfarce menos sutil ao que transige com seus pecados e que ama os prazeres. Nas formas mais grosseiras desse erro, as pessoas encontram o que está em harmonia com suas tendências. Satanás observa os pecados que cada indivíduo é inclinado a cometer, e então cuida para que não faltem oportunidades de satisfazer a tendência para o mal. Ele tenta as pessoas através da intemperança, a fim de enfraquecê-las física, mental e moralmente. Destrói milhares por meio da satisfação dos maus desejos, corrompendo assim todo o indivíduo.

Para completar sua tarefa, os espíritos declaram que "o verdadeiro conhecimento coloca o ser humano acima de toda lei", que "tudo está certo", que "Deus não condena" e que "todos os pecados são inocentes". Sendo o povo levado a crer que o desejo é a mais elevada lei, que libertinagem é liberdade e que o ser humano deve prestar contas apenas a si mesmo, como não poderíamos esperar que a corrupção se espalhasse por toda parte? Multidões aceitam ansiosamente os ensinos que levam a uma vida desregrada. Satanás apanha em sua armadilha milhares que pretendem ser seguidores de Cristo.

Porém, Deus concedeu luz suficiente para que a cilada seja percebida. O próprio fundamento do espiritualismo está em conflito com a Palavra de Deus. A Bíblia declara que os mortos nada sabem, que todos os seus pensamentos pereceram; já não participam das alegrias ou tristezas daqueles que estão na Terra (veja Eclesiastes 9:5, 6).

Além disso, Deus proibiu toda suposta comunicação com os espíritos dos mortos. Os "espíritos familiares", como são chamados os visitantes de outros mundos, são identificados pela Bíblia como "espíritos de demônios" (veja Números 25:1-3; Salmo 106:28; 1 Coríntios 10:20; Apocalipse 16:14). A tentativa de comunicar-se com eles foi proibida sob pena de morte (veja Levítico 19:31; 20:27). Esse erro, porém, penetrou nos meios científicos, invadiu as igrejas e foi bem-recebido nas corporações legislativas, e mesmo nas cortes dos reis. Esse grande engano é o reaparecimento, sob novo disfarce, da feitiçaria que havia na antiguidade e que fora condenada.

Somente a graça de Deus tem poder para elevar o ser humano.

Ao apresentar os mais infames seres humanos como se estivessem no Céu, Satanás está dizendo ao mundo: "Não importa se você crê ou não em Deus e na Bíblia. Viva como lhe agradar; o Céu será o seu destino." Porém, diz a Palavra de Deus: "Ai dos que chamam ao mal bem e ao bem, mal, que fazem das trevas luz e da luz, trevas" (Isaías 5:20).

A Bíblia apresentada como ficção – Os apóstolos, personificados por esses espíritos mentirosos, são apresentados contradizendo o que escreveram quando estavam na Terra. Satanás está fazendo o mundo crer que a Bíblia é mera ficção, um livro adequado às eras primitivas, mas que hoje deve ser considerado antiquado. Ele torna obscuro o livro que julgará a ele e seus seguidores. Satanás representa o Salvador do mundo como apenas um ser humano. E aqueles que creem nessas manifestações espirituais, afirmam que nada realmente miraculoso ocorreu durante a vida de nosso Salvador. Os milagres que eles próprios realizam, segundo declaram, excedem em muito os de Cristo.

Hoje, o espiritualismo está assumindo uma aparência cristã. Seus ensinos, porém, não podem ser negados ou encobertos. Em sua forma atual, constitui um erro mais perigoso, mais sutil, porém mais enganoso. Agora, ele pretende aceitar a Cristo e a Bíblia. Mas esse livro é interpretado de modo a agradar corações não convertidos. O amor é apresentado como o principal atributo de Deus, entretanto é rebaixado a um frágil sentimentalismo. A reprovação que Deus faz ao pecado, os requisitos de Sua santa lei, tudo é deixado de lado. Fábulas levam as pessoas a rejeitar a Bíblia como o fundamento de sua fé. Cristo é tão verdadeiramente negado como antes, mas o engano não é percebido.

Apesar disso, poucos têm uma compreensão correta sobre o poder do espiritualismo. Muitos se aproximam dele simplesmente para satisfazer a curiosidade. Ficariam horrorizados diante do pensamento de se entregar ao domínio dos espíritos. Aventuram-se, porém, a entrar em lugar proibido, e o destruidor exerce todo o seu poder sobre eles, contra a vontade deles. Uma vez induzidos a submeter a mente a ser guiada por ele, ficarão escravizados. Apenas o poder de Deus, concedido em resposta à sincera oração, poderá livrar essas pessoas.

Todos os que alimentam um pecado conhecido estão atraindo as tentações de Satanás. Separam-se de Deus e do vigilante cuidado de Seus anjos, tornando-se indefesos.

"Quando disserem a vocês: 'Procurem um médium ou alguém que consulte os espíritos e murmure encantamentos, pois todos recorrem a seus deuses e aos mortos em favor dos vivos', respondam: 'À lei e aos mandamentos!' Se eles não falarem conforme esta palavra, vocês jamais verão a luz!" (Isaías 8:19, 20).

Se as pessoas estivessem dispostas a receber a verdade sobre a natureza humana e a condição na morte, veriam no espiritualismo o poder e os sinais de mentira de Satanás. Entretanto, multidões fecham os olhos à luz, e Satanás constrói suas armadilhas em volta dessas pessoas. "Rejeitaram o amor à verdade que os poderia salvar" (2 Tessalonicenses 2:10).

Protegidos pelos anjos de Deus – Aqueles que se opõem a esse erro, enfrentam Satanás e seus anjos. O inimigo não recuará nem mesmo um passo, a menos que seja repelido pelo poder dos anjos celestiais. Satanás é capaz de citar a Bíblia, distorcendo os ensinos dela. Aqueles que desejam sobreviver a este tempo de perigo, devem compreender por si mesmos o ensino da Palavra de Deus.

Espíritos do mal, que personificarão parentes ou amigos, apelarão a nossos mais ternos sentimentos e realizarão milagres. Devemos resistir-lhes com a verdade bíblica de que os mortos nada sabem e reconhecer que as aparições são feitas por espíritos do mal.

Todos aqueles que não viverem de acordo com a fé estabelecida na Palavra de Deus, serão enganados e vencidos. Satanás atua com "todas as formas de engano da injustiça" (2 Tessalonicenses 2:10), e seus enganos aumentarão. Mas aqueles que desejam conhecer a verdade e se tornar puros através da obediência, encontrarão um refúgio seguro no Deus da verdade. O Salvador estaria mais pronto a enviar todos os anjos do Céu para proteger Seu povo do que deixar a pessoa que confia em Deus ser vencida por Satanás. Aqueles que se consolam com a segurança de que o pecador não será punido e que rejeitam as verdades que o Céu enviou para servirem como defesa no tempo do fim, aceitarão as mentiras de Satanás.

Zombadores ridicularizam as declarações da Bíblia sobre o plano da salvação e a retribuição que será dada àqueles que rejeitam a verdade. Sentem grande compaixão por pessoas que supostamente têm a mente tão estreita e são frágeis e supersticiosas por reconhecerem as reivindicações da lei de Deus. Essas pessoas têm se entregado completamente ao tentador, e acham-se tão unidas a ele e tão impregnadas de seu pensamento que não têm disposição para livrar-se de suas ciladas.

O fundamento desse engano foi lançado na declaração feita a Eva no Éden: "Certamente não morrereis. [..] Sereis como Deus, sabendo o bem e o mal" (Gênesis 3:4, 5, ARC). A obra-prima do engano será alcançada no fim dos tempos. Diz o profeta: "Vi [...] espíritos de demônios que realizam sinais miraculosos; eles vão aos reis de todo o mundo, a fim de reuni-los para a batalha do grande dia do Deus todo-poderoso" (Apocalipse 16:13, 14).

Com exceção daqueles que são protegidos pelo poder de Deus, pela fé em Sua Palavra, o mundo todo será envolvido por esse engano. As pessoas estão sendo rapidamente embaladas por uma falsa segurança fatal e serão despertadas somente quando for tarde demais.

5 Seduções perigosas

O grande conflito entre Cristo e Satanás logo será concluído, e o maligno tem duplicado seus esforços para anular o que Cristo realiza pelos seres humanos. O objetivo dele é manter as pessoas em trevas e sem arrependimento, até que termine a intercessão do Salvador. Quando a indiferença prevalece entre os cristãos, Satanás não se preocupa. Mas quando as pessoas indagam: "O que é necessário fazer para ser salvo?", ele procura opor seu poder ao de Cristo e neutralizar a influência do Espírito Santo.

Em certa ocasião, quando os anjos de Deus foram se apresentar diante do Senhor, Satanás foi também entre eles, não para se curvar perante o Rei eterno, mas para apresentar seus planos maldosos contra os justos (veja Jó 1:6). Ele está presente quando as pessoas se reúnem para adorar a Deus e trabalha com dedicação a fim de controlar a mente dos adoradores. Quando vê o mensageiro de Deus pesquisando a Bíblia, ele anota o assunto que será apresentado ao povo. Então utiliza seu engano e astúcia para que a mensagem não atinja aqueles que ele está enganando nesse exato ponto. Aquele que mais necessita da advertência estará envolvido em alguma operação comercial, ou será de algum modo impedido de ouvir a palavra.

Satanás vê os servos do Senhor preocupados com as trevas que envolvem o povo. Ouve as orações deles pedindo graça e poder divinos para quebrar o encanto da indiferença e indolência. Então, com maior esforço, tenta as pessoas a satisfazerem o apetite ou alguma outra forma de transigência com maus desejos, assim amortecendo a sensibilidade deles, de maneira que deixem de ouvir precisamente as coisas que mais necessitam aprender.

Satanás sabe que todos aqueles que negligenciam a oração e o estudo da Palavra de Deus, serão vencidos por seus ataques. Portanto, inventa todo artifício possível para ocupar a mente. Aqueles que o auxiliam e são sua "mão direita", estão sempre ocupados enquanto Deus atua. Eles apresentarão os mais determinados e altruístas servos de Cristo como estando enganados ou sendo enganadores. É tarefa de Satanás representar falsamente as intenções de todas as atitudes nobres, difundir insinuações e despertar suspeitas na mente dos inexperientes. Entretanto, é possível ver facilmente o exemplo de quem seguem e a obra de quem fazem. "Vocês os reconhecerão por seus frutos" (Mateus 7:16).

A verdade transforma – O grande enganador tem muitos falsos ensinos preparados e adaptados ao gosto daqueles que ele deseja arruinar. É seu plano levar para a igreja pessoas não sinceras, não convertidas, que estimularão a dúvida e a incredulidade. Muitos que não têm verdadeira fé em Deus concordam com alguns princípios da verdade e aparentam ser cristãos, e assim estão aptos para introduzir seus erros como doutrinas bíblicas. Satanás sabe que a verdade, recebida por amor, santifica a vida. Portanto, procura substituí-la por falsas teorias e fábulas, ou por outro evangelho. Desde o início, os servos de Deus têm lutado com falsos mestres, que não são meramente pessoas corruptas, mas que impõem falsidades fatais. Elias, Jeremias e Paulo se opuseram firmemente aos que desviavam as pessoas da Palavra de Deus.

A ideia de que é sem importância uma fé religiosa correta não era apoiada por aqueles santos defensores da verdade.

As interpretações confusas e especulativas sobre a Bíblia e as teorias conflitantes do mundo cristão são a obra do inimigo para confundir a mente das pessoas. A discórdia e divisão entre as igrejas são em grande parte causadas pelo costume de distorcer a Palavra de Deus a fim de apoiar uma teoria apreciada.

Com o objetivo de sustentar doutrinas equivocadas, alguns utilizam textos bíblicos isolados do contexto, citando talvez a metade de um versículo como prova de seu ponto de vista, quando a parte restante mostraria ser exatamente contrário o sentido. Com a astúcia da serpente, protegem-se por trás de declarações desconexas, construídas para satisfazer seus desejos. Outros se apegam a figuras e símbolos, interpretam-nos como acham melhor, desconsiderando o ensino da Bíblia como seu próprio intérprete, e então apresentam suas invenções como ensino de Deus.

A Bíblia inteira deve ser apresentada às pessoas tal como é.

A Bíblia inteira é um guia – Sempre que o estudo da Palavra de Deus é iniciado sem atitude de oração e desejo de aprender, o verdadeiro sentido dos textos mais claros será distorcido. A Bíblia inteira deve ser apresentada às pessoas tal como é.

Deus deu aos seres humanos a segura palavra da profecia. Os anjos e o próprio Cristo vieram para mostrar a Daniel e a João "o que em breve há de acontecer" (Apocalipse 1:1). Os importantes assuntos que dizem respeito à nossa salvação não foram revelados para tornar perplexo e confundir o honesto pesquisador da verdade. A Palavra de Deus é clara a todos os que a estudam com oração.

Pretendendo ter uma "mente aberta", as pessoas se tornam cegas às ciladas do inimigo. Ele é bem-sucedido em substituir a Bíblia por especulações humanas; a lei de Deus é posta de lado; e as igrejas se acham escravizadas pelo pecado, embora declarem estar livres.

Deus permitiu que grande luz fosse derramada sobre o mundo através das descobertas científicas. Porém, mesmo as maiores mentes, se não forem guiadas pela Palavra de Deus, ficarão desorientadas em suas tentativas de investigar as relações entre a ciência e a religião.

O conhecimento humano é parcial e imperfeito; portanto, muitos são incapazes de harmonizar seus pontos de vista científicos com a Bíblia. Muitos aceitam meras teorias como fatos científicos, imaginando que a Palavra de Deus deva ser provada pela "falsamente chamada ciência" (1 Timóteo 6:20, ARC). Por não poderem explicar o Criador e Suas ações através das leis naturais, a história bíblica é considerada indigna de confiança. Aqueles que duvidam do Antigo e do Novo Testamentos, muitas vezes vão além, duvidando da existência de Deus. Tendo perdido sua âncora, são deixados a chocar-se contra as rochas da descrença.

É obra-prima dos enganos de Satanás manter as pessoas em especulações a respeito daquilo que Deus não revelou. Lúcifer se sentiu insatisfeito porque nem todos os segredos de Deus lhe foram declarados, e desprezou completamente aquilo que havia sido revelado. Agora procura impregnar a mente das pessoas com a mesma atitude, levando-as também a desconsiderar os claros mandamentos de Deus.

A verdade envolve sacrifício – Quanto menos espirituais e altruístas forem as doutrinas apresentadas, mais facilmente serão aceitas. Satanás está pronto a atender o desejo do coração, e apresenta seus enganos em lugar da verdade. Foi assim que o papado dominou a mente das pessoas, durante a Idade Média. E, ao rejeitarem a verdade, visto que ela implica em sacrifício, os evangélicos estão seguindo o mesmo caminho. Todos aqueles que procuram conveniências e estratégias para não se acharem em desacordo com o mundo, aceitarão "heresias destruidoras" (2 Pedro 2:1) como se fossem verdade. Quem olha com horror para um engano, receberá facilmente outro.

Erros perigosos – Entre as criações mais bem-sucedidas do grande enganador, encontram-se os ensinos ilusórios e mentirosos do espiritualismo. Ao rejeitarem a verdade, as pessoas caem nas armadilhas do engano.

Outro erro é a doutrina que nega a divindade de Cristo, afirmando que Ele não existia antes de Sua vinda ao mundo. Essa teoria contradiz as declarações de nosso Salvador a respeito de Seu relacionamento com o Pai e Sua existência antes da criação do Universo (veja João 17:5, 24). Destrói a fé na Bíblia como revelação de Deus. Se as pessoas rejeitam os ensinos bíblicos sobre a divindade de Cristo, é inútil argumentar com elas; pois nenhum argumento, ainda que conclusivo, poderia convencê-las. Ninguém que alimente esse erro pode ter uma compreensão correta do caráter ou missão de Cristo, nem do plano de Deus para a salvação do ser humano.

Ainda outro erro é a crença de que Satanás não é um ser pessoal, mas que esse nome é utilizado nas Escrituras meramente para representar os maus pensamentos e desejos humanos.

O ensino de que o segundo advento de Cristo é a Sua vinda a cada indivíduo por ocasião da morte é uma cilada para desviar a mente das pessoas de Sua vinda pessoal nas nuvens do céu. Satanás tem estado a dizer: "Ali está Ele, dentro da casa!" (Mateus 24:26), e muitos se perdem por aceitarem esse engano.

Alguns cientistas ensinam que a oração não pode, na verdade, ser atendida. Isso seria a violação da lei – um milagre, e milagres não existem. O Universo, dizem eles, é governado por leis fixas, e o próprio Deus nada faz que contrarie essas leis. Assim representam Deus como sendo governado por Suas próprias leis – como se as leis divinas pudessem excluir a liberdade divina.

Porventura Cristo e os apóstolos não realizaram milagres? O mesmo Salvador está hoje tão disposto a ouvir a oração feita com fé como quando andava visivelmente entre os seres humanos. O natural está unido ao sobrenatural. É parte do plano de Deus conceder-nos, em resposta à oração feita com fé, aquilo que Ele não concederia se não pedíssemos assim.

Ceticismo em relação à Bíblia – Doutrinas errôneas removem os fundamentos fixados pela Palavra de Deus. Poucos são os que se contentam em rejeitar apenas uma verdade. A maioria continua a abandonar, um após outro, os princípios da verdade, até que perdem a fé.

Os erros da teologia popular têm levado muitas pessoas ao ceticismo. Para elas é impossível aceitar doutrinas que ofendem seu senso de justiça, misericórdia e bondade. Sendo que esses erros são apresentados como ensinos da Bíblia, essas pessoas se recusam a recebê-la como a Palavra de Deus.

A Bíblia é olhada com desconfiança pelo fato de reprovar e condenar o pecado. Aqueles que não estão dispostos a obedecê-la, esforçam-se para derrubar sua autoridade. Não poucos se declaram sem fé a fim de justificar a negligência ao dever. Outros, tão apegados à comodidade que não realizam qualquer coisa que exija esforço ou sacrifício, tentam conquistar fama de sabedoria superior ao criticarem a Bíblia.

Muitos pensam ser virtude manifestar descrença e ceticismo. Mas, aparentando sinceridade, existe autossuficiência e orgulho. Muitos têm prazer em encontrar na Bíblia alguma coisa que confunda a mente dos outros. Alguns inicialmente têm essa atitude por simples amor à controvérsia. Tendo, porém, expressado abertamente a descrença, unem-se àqueles que rejeitam a Deus.

Evidência suficiente – Deus deu em Sua Palavra evidência suficiente de que ela possui origem divina. Porém, a mente finita não é capaz de compreender completamente os propósitos do Ser infinito. "Quão insondáveis são os Seus juízos e inescrutáveis os Seus caminhos!" (Romanos 11:33). Podemos perceber amor e misericórdia ilimitados unidos ao poder infinito. Nosso Pai celestial revelará tudo aquilo que é para o nosso bem. Mas, além disso, devemos confiar na mão onipotente, no coração divino repleto de amor.

Deus jamais removerá toda desculpa para a descrença. Todos aqueles que buscam ganchos em que pendurar suas dúvidas, os encontrarão. E aqueles que se recusam a obedecer até que toda objeção tenha sido removida, jamais chegarão à luz. O coração não convertido está em inimizade com Deus. Mas a fé é inspirada pelo Espírito Santo e crescerá à medida que for acalentada. Ninguém poderá se tornar forte na fé sem esforço decidido. Se as pessoas permitirem a si mesmas contestar, verão que suas dúvidas constantemente se tornam maiores.

Mas aqueles que duvidam e não confiam na certeza de Sua graça, desonram a Cristo. São árvores infrutíferas que excluem a luz do Sol de outras plantas, fazendo-as atrofiar-se e morrer na fria sombra. A atitude dessas pessoas será uma constante testemunha contra elas mesmas.

Há apenas um caminho a seguir, para todos aqueles que desejam sinceramente livrar-se das dúvidas: em vez de questionar aquilo que não compreendem, vivam de acordo com a luz que já brilha sobre eles, e receberão maior luz.

Ninguém está livre de perigo por um dia ou uma hora, sem oração.

Satanás pode apresentar uma imitação tão parecida com a verdade que seja capaz de enganar aqueles que estão dispostos a ser enganados, que desejam se livrar do sacrifício exigido pela verdade. Porém, é impossível a ele reter em seu poder uma só pessoa que sinceramente deseje conhecer a verdade, custe o que custar. Cristo é a verdade, "a verdadeira luz, que ilumina todos os homens" (João 1:9). "Se alguém quiser fazer a vontade dEle, conhecerá a respeito da doutrina" (João 7:17, ARA).

O Senhor permite que Seu povo seja submetido ao ardente teste da tentação, não porque Ele tenha prazer em sua angústia, mas porque isso é indispensável para a vitória final de Seu povo. Se Deus o livrasse da tentação, Ele não seria coerente com Sua própria glória, pois o objetivo do teste é preparar Seu povo para resistir à sedução do mal. Nem perdidos nem demônios podem excluir a presença de Deus de Seu povo se este confessar e abandonar seus pecados e reivindicar as promessas divinas. Toda tentação, quer expressada, quer secreta, pode ser vencida com êxito, "'não por força nem por violência, mas por Meu Espírito', diz o Senhor dos Exércitos" (Zacarias 4:6).

"Quem há de maltratá-los, se vocês forem zelosos na prática do bem?" (1 Pedro 3:13). Satanás sabe que a pessoa mais frágil que permanece em Cristo é mais do que suficiente para competir com as hostes das trevas. Portanto, procura retirar de suas poderosas fortificações os soldados de Cristo, enquanto fica em espreita, pronto para destruir todos aqueles que se arriscam a penetrar em seu terreno. Somente através da confiança em Deus e da obediência a todos os Seus mandamentos, poderemos estar seguros.

Ninguém está livre de perigo por um dia ou uma hora, sem oração. Devemos suplicar ao Senhor por sabedoria para compreender Sua Palavra. Satanás é hábil em citar a Bíblia, dando sua própria interpretação aos textos que deseja utilizar para nos fazer tropeçar. Devemos estudar a Bíblia com coração humilde. Para estar constantemente protegidos das ciladas de Satanás, precisamos orar continuamente: "Não nos deixes cair em tentação" (Mateus 6:13).

6 Nossa única segurança

Somos encaminhados à Bíblia como a proteção contra o poder ilusório do mal. Satanás utiliza todo artifício possível para impedir as pessoas de obterem conhecimento da Bíblia. A cada reavivamento espiritual, ele se levanta para atividade mais intensa. A batalha final contra Cristo e Seus seguidores logo ocorrerá diante de nós. A imitação será tão parecida com o verdadeiro que será impossível distinguir entre ambos sem o auxílio da Bíblia.

Aqueles que se esforçam por obedecer a todos os mandamentos de Deus, enfrentarão oposição e zombaria. A fim de suportar o teste, devem compreender a vontade de Deus, conforme revelada em Sua Palavra. Só poderão honrar a Deus se compreenderem corretamente Seu caráter, governo e propósitos, e se agirem de acordo com estes. Ninguém, a não ser aqueles que se fortaleceram com as verdades da Bíblia, poderá resistir no último grande conflito.

Antes de Sua crucifixão, o Salvador revelou aos discípulos que Ele seria entregue à morte e depois ressuscitaria. Anjos estavam presentes para gravar Suas palavras na mente e coração deles. Mas as palavras fugiram da mente dos discípulos. Com a morte de Jesus, suas esperanças foram quase que completamente destruídas, como se Ele não os houvesse advertido previamente. Assim, nas profecias, o futuro é apresentado diante de nós tão claramente como foi revelado por Cristo aos discípulos.

Quando envia advertências, Deus requer que toda pessoa dotada de raciocínio atenda à mensagem. Muitos, porém, não desejam conhecer as verdades bíblicas, pois estas interferem nos desejos do coração pecaminoso. Satanás concede-lhes os enganos que as pessoas amam.

Mas Deus terá um povo que mantém a Bíblia, e a Bíblia somente, como padrão de todas as doutrinas e base de todas as mudanças. As opiniões de intelectuais, as deduções da ciência, as decisões de concílios eclesiásticos, a voz da maioria – nenhuma dessas coisas, nem todas em conjunto, deveriam ser consideradas como prova a favor ou contra qualquer doutrina. Devemos exigir um "assim diz o Senhor". Satanás leva as pessoas a olharem para os líderes espirituais e teólogos como seus guias, em vez de examinarem a Bíblia por si mesmas. Ao ter domínio sobre esses líderes, ele pode influenciar as multidões.

Quando Cristo veio, o povo comum ouvia Seus discursos com prazer. Mas os chefes dos sacerdotes e os homens de posição elevada se fecharam no preconceito; rejeitaram as evidências de Seu caráter messiânico. "Como pode ser", perguntava o povo, "que nossos líderes e cultos escribas não creem em Jesus?" Esses mestres levaram muitos judeus a rejeitar o Salvador.

Exaltação da autoridade humana – Cristo sabia que no futuro seria exaltada a autoridade humana com o objetivo de controlar a consciência, o que tem sido uma terrível maldição em todas as épocas. As advertências de Cristo quanto a não seguir líderes corrompidos foram registradas como uma advertência para as gerações futuras.

Na Idade Média, reservava-se ao clero o direito de interpretar a Bíblia. Embora a Reforma Protestante tenha dado a todos o acesso à Palavra de Deus, o mesmo princípio que dominava antes tem impedido multidões, ainda hoje, de tomar a iniciativa de pesquisar a Bíblia.

São instruídas a aceitar os ensinos bíblicos conforme interpretados por sua religião. Essas pessoas não ousam receber nada, ainda que claramente ensinado na Bíblia, se contrariar o seu credo.

Muitos estão prontos a entregar aos líderes espirituais a responsabilidade pela sua própria salvação. Leem os ensinos do Salvador quase sem percebê-los. São, porém, infalíveis os líderes? Como poderemos confiar em sua orientação, a menos que saibamos, pela Palavra de Deus, que são portadores de luz? A falta de coragem moral leva muitos a seguir as pegadas de pessoas cultas, e assim vão se tornando desesperadamente presos nas algemas do erro. Veem na Bíblia as verdades para este tempo e sentem o poder do Espírito Santo acompanhando a proclamação dessas verdades, mas ainda assim permitem que líderes religiosos os desviem da luz.

O primeiro e maior dever de todo ser racional é aprender na Bíblia o que é a verdade.

Satanás atrai multidões ao ligá-las com suaves laços da afeição aos que são inimigos da cruz de Cristo. Essa ligação pode ser paternal, filial, conjugal ou social. As pessoas postas sob o domínio dele não têm coragem de obedecer às próprias convicções sobre o correto.

Muitos afirmam que não importa o que alguém creia, se sua vida for correta. Mas a vida é moldada pela fé. Se a verdade estiver ao alcance e nós a negligenciarmos, estaremos rejeitando-a na prática, e assim escolhendo as trevas em vez da luz.

A ignorância não é desculpa para o erro ou pecado, quando há oportunidade de conhecer a vontade de Deus. Alguém em viagem chega a um lugar em que há várias estradas, e a sinalização indica aonde cada uma delas leva. Se a pessoa desatende à indicação e toma qualquer caminho que lhe pareça correto, poderá ser muito sincera, mas andará pelo caminho errado.

O primeiro e maior dever – Não é suficiente termos boas intenções, fazermos o que nos parece direito ou aquilo que o líder religioso diz ser correto. Devemos pesquisar a Bíblia por nós mesmos. Temos um mapa que apresenta todas as indicações na jornada rumo ao Céu, e não precisamos fazer suposições a respeito de coisa alguma.

O primeiro e maior dever de todo ser racional é aprender na Bíblia o que é a verdade, e então andar na luz e estimular outros a imitar o seu exemplo. Devemos formar opiniões por nós mesmos, visto que teremos de responder por nós mesmos diante de Deus.

Eruditos, que pretendem possuir grande sabedoria, ensinam que a Palavra de Deus tem um significado secreto e místico, que está além da clara linguagem do texto. Esses são falsos mestres. A linguagem da Bíblia deve ser explicada de acordo com o seu sentido óbvio, a menos que um símbolo ou figura seja utilizado. Se as pessoas apenas tomassem a Bíblia como é, seria realizada uma tarefa que levaria para o caminho de Cristo milhares que agora estão no erro.

Muitas partes da Bíblia, que eruditos declaram não ser importantes, estão cheias de conforto para aquele que aprende com Cristo. A compreensão das verdades bíblicas não depende tanto do poder do intelecto aplicado à pesquisa, mas da singeleza de propósito, do sincero desejo de alcançar a verdade.

Resultados de negligenciar o estudo da Bíblia – A Bíblia jamais deve ser estudada sem oração. Somente o Espírito Santo pode nos fazer sentir a importância das coisas fáceis de serem percebidas, ou impedir-nos de distorcer verdades difíceis de serem compreendidas. Anjos celestiais preparam o coração para que a Palavra de Deus seja compreendida. Podemos ficar encantados com sua beleza, ser fortalecidos por suas promessas. As tentações muitas vezes parecem irresistíveis, porque a pessoa tentada não consegue recordar facilmente as promessas de Deus e enfrentar Satanás com a arma da Bíblia. Porém, anjos estão ao redor daqueles que desejam receber instrução, e lhes trarão à lembrança as verdades de que necessitam.

"O Conselheiro, o Espírito Santo, que o Pai enviará em Meu nome, lhes ensinará todas as coisas e lhes fará lembrar tudo o que Eu lhes disse" (João 14:26). Mas os ensinos de Cristo devem ter sido previamente armazenados na mente a fim de que o Espírito de Deus os traga à lembrança no tempo de perigo.

O destino de imensas multidões da Terra está prestes a ser decidido. Todo seguidor de Cristo deve indagar com sinceridade: "Que devo fazer, Senhor?" (Atos 22:10). Precisamos buscar agora uma experiência profunda e viva nas coisas de Deus. Não temos sequer um momento a perder.

Muitos se orgulham pelos maus atos que não praticam. Não basta, contudo, que sejam árvores no jardim de Deus. Devem produzir frutos. Essas pessoas estão registradas nos livros do Céu como ocupando em vão o solo. Porém, mesmo no caso daqueles que pouco se importam com a misericórdia de Deus, desprezando a Sua graça, o coração do amor paciente ainda os chama.

No verão, não é percebida diferença alguma entre os ciprestes e outras árvores. Mas, ao soprarem as rajadas do inverno, os ciprestes permanecem inalteráveis, enquanto que as demais árvores perdem a folhagem. Se surgir a oposição, novamente for exercida a intolerância religiosa, inflamada a perseguição, os insinceros e hipócritas vacilarão, renunciando a fé. Mas o verdadeiro cristão permanecerá firme, sua fé estará forte e sua esperança será mais viva do que nos dias de prosperidade.

"Bendito é o homem cuja confiança está no Senhor, cuja confiança nEle está. Ele será como uma árvore plantada junto às águas e que estende as suas raízes para o ribeiro. Ela não temerá quando chegar o calor, porque as suas folhas estão sempre verdes; não ficará ansiosa no ano da seca nem deixará de dar fruto" (Jeremias 17:7, 8).

7 Em defesa da verdade

O dever de adorar a Deus está baseado no fato de que Ele é o Criador. "Venham! Adoremos prostrados e ajoelhemos diante do Senhor, o nosso Criador" (Salmo 95:6). "Reconheçam que o Senhor é o nosso Deus. Ele nos fez e somos dEle" (Salmo 100:3).

Em Apocalipse 14, a humanidade é chamada a adorar o Criador e a guardar os Seus mandamentos. Um desses mandamentos apresenta Deus como o Criador: "O sétimo dia é o sábado do Senhor, teu Deus [...], porque, em seis dias fez o Senhor os céus e a Terra, o mar e tudo o que neles há e, ao sétimo dia, descansou; por isso, o Senhor abençoou o dia de sábado e o santificou" (Êxodo 20:10, 11, ARA). O sábado, diz o Senhor, é "um sinal entre nós. Então vocês saberão que Eu sou o Senhor, o seu Deus" (Ezequiel 20:20).

Se o sábado tivesse sido guardado por todos, o ser humano sempre teria sido dirigido a adorar o Criador. Jamais teria existido idólatra, ateu ou cético. A guarda do sábado é um sinal de lealdade para com Aquele que "fez os céus, a Terra, o mar e tudo o que neles há". A mensagem que ordena os seres humanos a adorar a Deus e guardar os Seus mandamentos nos chama especialmente a que observemos o quarto mandamento, que trata do sábado (veja Apocalipse 14:7, 12).

Restauração da verdade – Isaías assim predisse a obra de restauração do sábado, que seria realizada nos últimos dias: "Mantenham a justiça e pratiquem o que é direito, pois a Minha salvação está perto, e logo será revelada a Minha retidão. Feliz aquele que age assim, o homem que nisso permanece firme, observando o sábado para não profaná-lo, e vigiando sua mão para não cometer nenhum mal. [...] Os estrangeiros que se unirem ao Senhor para servi-Lo, para amarem o nome do Senhor e prestar-Lhe culto, todos os que guardarem o sábado deixando de profaná-lo, e que se apegarem à Minha aliança, esses Eu trarei ao Meu santo monte e lhes darei alegria em Minha casa de oração [...]; pois a Minha casa será chamada casa de oração para todos os povos" (Isaías 56:1, 2, 6, 7).

Essas palavras se aplicam à era cristã, como é visto pelo contexto (verso 8). Aqui está prefigurada a reunião dos não judeus pelo evangelho, quando os servos de Deus pregassem a todas as nações a mensagem das boas-novas.

O Senhor ordena: "Guarde o mandamento com cuidado e sele a lei entre os Meus discípulos" (Isaías 8:16). O selo da lei de Deus é encontrado no quarto mandamento. Somente este, entre todos os dez, apresenta tanto o nome quanto o título do Legislador. Quando o sábado foi mudado para o domingo, o selo foi retirado da lei. Os seguidores de Jesus são chamados a restabelecê-lo, exaltando o sábado como o memorial do Criador e sinal de Sua autoridade.

É dada a ordem: "Grite alto, não se contenha! Levante a voz como trombeta. Anuncie ao Meu povo a rebelião dele, e à comunidade de Jacó, os seus pecados" (Isaías 58:1). Aqueles que o Senhor designa como "Meu povo" devem ser reprovados por sua transgressão – e esse é um grupo de pessoas que imagina estar fazendo corretamente o serviço de Deus. Mas a repreensão solene do Senhor, que conhece os corações, prova que eles estão desprezando os mandamentos divinos.

O profeta apresenta nestas palavras a ordenança que tem estado esquecida: "Seu povo reconstruirá as velhas ruínas e restaurará os alicerces antigos; você será chamado reparador de muros, restaurador de ruas e moradias. Se você vigiar seus pés para não profanar o sábado e para não fazer o que bem quiser em Meu santo dia; se você chamar delícia o sábado e honroso o santo dia do Senhor, e se honrá-lo, deixando de seguir seu próprio caminho, de fazer o que bem quiser e de falar futilidades, então você terá no Senhor a sua alegria" (Isaías 58:12-14). A lei de Deus foi feita em "ruínas" quando o sábado foi modificado. Chegou, porém, o tempo para que a ruína seja reparada.

O sábado foi guardado por Adão em sua inocência no Éden (veja Gênesis 2:2, 3); por Adão, depois de caído, mas arrependido, quando expulso de sua habitação. Foi guardado por todos os patriarcas, desde Abel até Noé, até Abraão e Jacó. Quando o Senhor libertou Israel, proclamou Sua lei à multidão.

Preservado o sábado – Desde aquele tempo até o presente, o sábado tem sido guardado. Embora o inimigo tenha sido bem-sucedido em pisotear o santo dia de Deus, pessoas fiéis, em lugares ocultos, preservaram sua honra.

Essas verdades relacionadas ao "evangelho eterno" distinguirão o povo de Deus antes do retorno de Cristo. "Aqui está a perseverança dos santos, daqueles que guardam os mandamentos de Deus e a fé em Jesus" (Apocalipse 14:12, ARA).

Aqueles que receberam a luz sobre a lei de Deus encheram-se de alegria ao verem a harmonia da verdade. Desejaram que a luz fosse comunicada a todos os cristãos. Mas as verdades que estão em discordância com o mundo não foram bem recebidas por muitos que pretendiam ser seguidores de Cristo.

Quando as exigências do sábado foram apresentadas, muitos disseram: "Sempre guardamos o domingo, nossos pais o observaram, e muitas pessoas boas morreram felizes enquanto o guardavam. Guardar um novo dia nos poria em desacordo com o restante das pessoas.

O que pode um pequeno grupo, guardando o sábado, esperar fazer contra todo o mundo que guarda o domingo?" Foi com argumentos semelhantes que judeus justificaram sua rejeição a Cristo. Foi assim, na época de Lutero, quando os líderes religiosos raciocinavam que os cristãos verdadeiros tinham morrido na fé católica; portanto, essa religião era suficiente. Esse raciocínio demonstraria ser uma barreira contra todo progresso na fé.

Muitos insistiam que a guarda do domingo tinha sido um costume amplamente difundido dos cristãos, e isso durante séculos. Contra esse argumento foi mostrado que o sábado e sua observância eram ainda mais antigos – na verdade tão antigos quanto o próprio mundo – e estabelecidos pelo Deus eterno.

Na ausência de prova bíblica, muitos insistiam: "Por que nossos grandes líderes não compreendem a questão do sábado? Poucos creem como vocês. Não pode ser que vocês estejam certos, e que todos os sábios estejam em erro."

Para refutar esses argumentos, bastava citar a Bíblia e a maneira como o Senhor tem lidado com Seu povo através dos tempos. A razão pela qual Ele frequentemente não escolhe pessoas cultas ou de posição elevada para dirigir os movimentos de reforma espiritual é que essas confiam em seus credos e sistemas teológicos, não sentindo que necessitam ser ensinadas por Deus. Pessoas que têm pouca instrução formal são muitas vezes chamadas para anunciar a verdade não porque sejam incultas, mas porque não são demasiado autossuficientes para ser ensinadas por Deus. Sua humildade e obediência as torna grandes. [...]

O mundo deve as grandes transformações a pessoas de princípios, fé e ousadia.

Com fé e coragem – Não era vontade de Deus que os israelitas vagueassem durante quarenta anos no deserto. Ele desejava levá-los diretamente a Canaã e lá estabelecê-los como um povo santo e feliz. Mas eles "por causa da incredulidade não puderam entrar" (Hebreus 3:19). De maneira semelhante, não era vontade de Deus que a volta de Cristo demorasse tanto e que Seu povo permanecesse tantos anos neste mundo de pecado e tristeza. A descrença o separou de Deus. Usando de misericórdia com o mundo, Jesus atrasa a Sua vinda, de modo que pecadores possam ouvir a advertência e encontrar nEle refúgio antes que venha o fim.

Hoje, como nos tempos anteriores, a apresentação da verdade desperta oposição. Muitos, com maldade, atacam o caráter e intenções daqueles que permanecem em defesa da verdade impopular. Elias foi acusado de ser o perturbador de Israel; Jeremias, de traidor; Paulo, de profanador do templo. Desde aquela época até hoje, os que desejam ser leais à verdade têm sido acusados de insubordinados, hereges ou facciosos.

Aqueles exemplos de santidade e inabalável integridade despertam coragem nos que hoje são chamados a levantar-se como testemunhas de Deus. Aos servos de Deus, no presente, é dirigida esta ordem: "Grite alto, não se contenha! Levante a voz como trombeta. Anuncie ao Meu povo a rebelião dele, e à comunidade de Jacó, os seus pecados" (Isaías 58:1). "Filho do homem, Eu fiz de você uma sentinela para a nação de Israel; por isso, ouça a Minha palavra e advirta-os em Meu nome" (Ezequiel 33:7).

O grande obstáculo para que a verdade seja aceita é o fato de que isso resulta em incômodo e vergonha. Esse é o único argumento contra a verdade que os seus defensores jamais puderam rebater. Mas os genuínos seguidores de Cristo não esperam que a verdade se torne popular. Aceitam a cruz, tendo em mente o que afirma Paulo: "Os nossos sofrimentos leves e momentâneos estão produzindo para nós uma glória eterna que pesa mais do que todos eles" (2 Coríntios 4:17). Lembram-se também de Moisés, que, "por amor de Cristo, considerou sua desonra uma riqueza maior do que os tesouros do Egito, porque contemplava a sua recompensa" (Hebreus 11:26).

Devemos escolher o correto porque é correto, e deixar com Deus as consequências. O mundo deve as grandes transformações a pessoas de princípios, fé e ousadia. Por meio dessas pessoas será realizada a obra de restauração da verdade para este tempo.

8 O destino do mundo

Do alto do Monte das Oliveiras, Jesus observava Jerusalém. Bem à vista estavam os belíssimos edifícios do templo. Os raios do sol poente iluminavam a brancura de suas paredes de mármore e eram refletidos na torre de ouro e no pináculo. Quem poderia contemplar aquele cenário sem encher-se de alegria e admiração?! Porém, outros pensamentos ocupavam a mente de Jesus. "Quando Se aproximou e viu a cidade, Jesus chorou sobre ela" (Lucas 19:41).

As lágrimas de Jesus não eram por Ele mesmo, ainda que tivesse diante de Si o Getsêmani, o cenário da agonia que se aproximava, e não muito distante estivesse o Calvário, o local da crucifixão. Entretanto, não era a contemplação dessas cenas que lançava sombras sobre Ele naquela hora. Chorava, na realidade, antevendo o que aconteceria com milhares que faziam parte do povo de Deus.

Passava diante de Jesus a história de mais de mil anos das bênçãos especiais de Deus e de Seu cuidado protetor manifestados ao povo escolhido. Jerusalém havia sido honrada por Deus acima de toda a Terra. "O Senhor escolheu Sião, com o desejo de fazê-la Sua habitação"

(Salmo 132:13). Durante séculos, santos profetas haviam proclamado mensagens de advertência. Diariamente o sangue de cordeiros havia sido ali oferecido, indicando o Cordeiro de Deus.

Se Israel, como nação, houvesse preservado a aliança com o Céu, Jerusalém teria permanecido para sempre como a escolhida de Deus. Mas a história daquele povo privilegiado foi um registro de apostasias e rebeliões. Com mais terno amor que o de um pai, Deus "tinha compaixão de Seu povo e do lugar de Sua habitação" (2 Crônicas 36:15). Quando advertências e repreensões haviam falhado, o Senhor enviou-lhes a maior dádiva do Céu, o próprio Filho de Deus, a fim de apelar à cidade que recusava se arrepender.

Durante três anos, o Senhor da luz e da glória caminhou entre o Seu povo. "Andou por toda parte fazendo o bem e curando todos os oprimidos pelo diabo" (Atos 10:38), pondo em liberdade os que estavam presos, restaurando a vista aos cegos, fazendo andar aos paralíticos e ouvir aos surdos, purificando os leprosos, ressuscitando os mortos e pregando o evangelho aos pobres (veja Mateus 11:5; Lucas 4:18).

De modo itinerante, sem lar, Jesus viveu para atender às necessidades e suavizar as aflições humanas, para insistir com as pessoas a aceitarem a dádiva da vida eterna. As ondas de misericórdia, rebatidas por aqueles corações inflexíveis, retornavam em maré mais forte de terno e indescritível amor. Mas Israel se desviara de Seu melhor Amigo e único Ajudador. As advertências de Seu amor haviam sido desprezadas.

A hora de esperança e perdão estava se esgotando rapidamente. As nuvens acumuladas durante séculos de apostasia e rebelião estavam prestes a desabar sobre um povo culpado. O único que poderia salvá-los da condenação iminente fora menosprezado, desprezado, rejeitado e, em breve, seria crucificado.

Quando Jesus olhava para Jerusalém, a condenação de toda uma cidade e de toda uma nação era apresentada diante dEle. Cristo contemplava o anjo com a espada erguida contra a cidade que durante tanto tempo havia sido a morada de Deus. Do próprio lugar mais tarde ocupado pelo general Tito e seu exército, Ele olhava através do vale para os pátios e recintos sagrados. Com a visão obscurecida pelas lágrimas, Ele via os muros cercados por estrangeiros. Ouvia o tropel de exércitos preparando-se para a guerra, as vozes de mães e crianças clamando por pão na cidade cercada. Via entregues às chamas o santo templo, os palácios e torres – tudo transformado num monte de ruínas fumegantes.

Olhando através dos séculos futuros, Jesus via o povo escolhido espalhado em todos os países, semelhantes aos destroços numa praia deserta. A piedade divina e o terno amor se expressaram nestas melancólicas palavras: "Jerusalém, Jerusalém, você, que mata os profetas e apedreja os que lhe são enviados! Quantas vezes Eu quis reunir os seus filhos, como a galinha reúne os seus pintinhos debaixo das suas asas, mas vocês não quiseram" (Mateus 23:37).

Cristo viu em Jerusalém um símbolo do mundo endurecido na descrença e rebelião, apressando-se ao encontro dos juízos enviados por Deus. Seu coração se moveu com infinita compaixão pelos aflitos e sofredores da Terra. Desejava profundamente aliviar a todos. Estava disposto a morrer a fim de colocar a salvação ao alcance deles.

A Majestade do Céu em pranto! Essa cena mostra quão árdua tarefa é salvar o culpado das consequências de se transgredir a lei de Deus. Jesus viu o mundo envolvido por um engano semelhante ao que provocou a destruição de Jerusalém. O grande pecado dos judeus foi rejeitarem a Cristo; o grande pecado do mundo seria rejeitar a lei de Deus, fundamento de Seu governo no Céu e na Terra. Multidões escravizadas pelo pecado se recusariam a escutar as palavras da verdade no dia de sua oportunidade de salvação.

Condenação do belíssimo templo – Dois dias antes da Páscoa, Cristo sai novamente com os discípulos para o Monte das Oliveiras e contempla a cidade. Mais uma vez Se depara com o templo em seu deslumbrante esplendor, como uma belíssima coroa real. Salomão, o mais sábio dos reis de Israel, havia contemplado o primeiro templo, o edifício mais imponente que o mundo já tinha visto. Depois da sua destruição por Nabucodonosor, foi reconstruído, cerca de quinhentos anos antes do nascimento de Cristo.

Mas o segundo templo não teve o mesmo esplendor que o primeiro. Nenhuma nuvem de glória ou fogo do Céu desceu sobre o altar. A arca, os anjos e as tábuas dos Dez Mandamentos não mais estavam no local. Nenhuma voz do Céu revelava ao sacerdote a vontade de Deus. O segundo templo não foi honrado com a nuvem da glória de Deus, mas com a presença viva dAquele que era o próprio Deus manifestado em carne. O "Desejado de todas as nações" (Ageu 2:7, ARC) foi a Seu templo quando o Homem de Nazaré ensinava e curava nos pátios sagrados. Mas Israel havia afastado de si a Dádiva do Céu. Com o humilde Mestre que naquele dia saía de seu portal de ouro, a glória para sempre se retirava do templo. Cumpriam-se as palavras do Salvador: "Eis que a casa de vocês ficará deserta" (Mateus 23:38).

Cristo apresentou diante dos discípulos um resumo dos principais fatos que ocorreriam antes do fim do mundo.

Os discípulos ficaram admirados diante da profecia de Cristo a respeito da destruição do templo e desejaram compreender o significado de Suas palavras. Herodes, o Grande, havia utilizado no templo tanto riquezas romanas quanto tesouros judaicos. Blocos maciços de mármore branco, vindos de Roma, formavam parte de sua estrutura. Os discípulos chamaram a atenção do Mestre, dizendo: "Que pedras enormes! Que construções magníficas!" (Marcos 13:1).

Jesus respondeu de maneira solene e surpreendente: "Eu lhes garanto que não ficará aqui pedra sobre pedra; serão todas derrubadas" (Mateus 24:2). O Senhor havia dito aos discípulos que viria segunda vez. Então, ao mencionar juízos sobre Jerusalém, pensaram naquela vinda, e perguntaram: "Quando acontecerão essas coisas? E qual será o sinal da Tua vinda e do fim dos tempos?" (Mateus 24:3).

Cristo apresentou diante deles um resumo dos principais fatos que ocorreriam antes do fim dos tempos. A profecia dita por Ele possuía duplo sentido: ao mesmo tempo em que prefigurava a destruição de Jerusalém, representava os últimos dias da história.

Juízos cairiam sobre Israel por rejeitar e crucificar o Messias. "Assim, quando vocês virem 'o sacrilégio terrível', do qual falou o profeta Daniel, no Lugar Santo – quem lê, entenda – então, os que estiverem na Judeia fujam para os montes" (Mateus 24:15, 16). Quando os estandartes dos romanos fossem erguidos em terra santa, fora dos muros da cidade, então os seguidores de Cristo deveriam fugir buscando a segurança. Aqueles que desejassem escapar, não deveriam se demorar. Por causa de seus pecados, foi anunciado o julgamento contra Jerusalém. Sua persistente rebelião estabeleceu seu destino (veja Miqueias 3:9-11).

Os habitantes de Jerusalém acusaram Cristo de ser a causa de todos os sofrimentos pelos quais passaram em consequência de seus pecados. Mesmo sabendo que Ele jamais havia pecado, declararam que Sua morte era necessária para a segurança da nação. Concordaram com a decisão do sumo sacerdote, de que melhor seria morrer um homem do que toda a nação ser punida (veja João 11:47-53).

Ao mesmo tempo em que mataram seu Salvador porque Ele reprovava os pecados deles, consideravam-se o povo especial de Deus e esperavam que o Senhor os livrasse de seus inimigos!

A paciência de Deus – Durante quase quarenta anos, o Senhor adiou os Seus juízos. Ainda havia muitos judeus que não conheciam o caráter e vida de Cristo. E os filhos não haviam desfrutado das oportunidades nem recebido a luz que seus pais tinham desprezado. Através da pregação dos apóstolos, Deus faria com que a luz brilhasse sobre eles. Veriam como as profecias haviam sido cumpridas, não apenas no nascimento e vida de Cristo, mas em Sua morte e ressurreição. Os filhos não foram condenados pelos pecados dos pais; mas quando rejeitaram a luz concedida a eles, tornaram-se participantes dos pecados de seus pais.

Os judeus, recusando se arrependerem, rejeitaram a última oferta de misericórdia. Então Deus afastou deles a proteção. A nação ficou controlada pelo líder que escolheu. Satanás despertou os mais violentos e terríveis desejos. As pessoas se achavam fora da razão – controladas pelo impulso e pela raiva cega, tornando-se satânicas em sua crueldade. Amigos e parentes traíam uns aos outros. Pais matavam seus filhos, e estes os pais. Os líderes do povo não se controlavam. Os maus desejos os transformaram em tiranos. Aceitaram falso testemunho na condenação do inocente Filho de Deus. Em seguida, as falsas acusações tornavam insegura sua própria vida. O respeito a Deus não mais os perturbaria. Satanás se achava à frente da nação.

Chefes de facções oponentes atacavam uns aos outros, executando impiedosa matança. Mesmo a santidade do templo não reprimia a horrível crueldade deles. O santuário estava contaminado com os cadáveres. No entanto, aqueles que provocaram essa terrível ação declaravam não temer que Jerusalém viesse a ser destruída! Ela era a cidade de Deus. Mesmo enquanto os exércitos romanos estavam cercando o templo, multidões acreditavam que o Senhor interviria a fim de derrotar os inimigos. Entretanto, Israel havia desprezado a proteção divina, por isso ficaria vulnerável.

Sinais do desastre – Todas as predições de Cristo sobre a destruição de Jerusalém se cumpriram. Apareceram sinais e maravilhas. Durante sete anos, um homem esteve a subir e a descer as ruas de Jerusalém, declarando as aflições que ocorreriam à cidade. Esse ser estranho foi preso e açoitado, mas diante dos insultos e maus-tratos apenas respondia: "Ai! Ai de Jerusalém!" Ele foi morto no cerco que havia predito (Henry Milman, *History of the Jews*, livro 13).

Nenhum cristão morreu durante a destruição de Jerusalém. Depois que os romanos, guiados por Céstio, cercaram a cidade, inesperadamente abandonaram o cerco quando tudo parecia favorável a um ataque imediato. O general romano retirou suas forças sem a mínima razão aparente. O sinal prometido havia sido dado aos cristãos, que aguardavam o cumprimento da profecia (veja Lucas 21:20, 21).

Os acontecimentos foram encaminhados de tal modo que nem os judeus nem os romanos impediram a fuga dos cristãos. Com a retirada de Céstio, os judeus perseguiram o exército dele e, enquanto ambas as forças estavam completamente empenhadas na luta, os cristãos tiveram oportunidade de escapar, sem ser perturbados, rumo a um local seguro, a cidade de Pela.

As forças judaicas, perseguindo Céstio e seu exército, atacaram sua retaguarda. Com grande dificuldade, os romanos conseguiram efetuar a retirada. Os judeus, com seus despojos, retornaram em triunfo a Jerusalém. Porém, esse aparente sucesso apenas lhes causou males. Inspirou nos romanos grande resistência, que trouxe indescritível aflição sobre a cidade condenada.

Terríveis foram as calamidades que desabaram sobre Jerusalém quando o cerco foi continuado por Tito. A cidade foi atacada durante a Páscoa, quando muitos judeus estavam reunidos dentro de seus muros. Provisões de alimentos haviam sido previamente destruídas pela vingança das facções opostas. Em consequência disso, foram experimentados todos os horrores da morte por fome. Homens roíam o couro de seus cinturões e sandálias e a cobertura de seus escudos. Inúmeras pessoas saíam da cidade à noite para apanhar plantas silvestres que cresciam fora dos muros da cidade, embora muitas fossem mortas com severas torturas. Muitas vezes aqueles que voltavam em segurança eram roubados daquilo que haviam conseguido recolher. Maridos roubavam de sua esposa, esposas roubavam do marido. Filhos arrancavam o alimento da boca de seus idosos pais.

Jerusalém atacada pelos romanos – Os chefes romanos se esforçaram para aterrorizar os judeus, e assim conseguir sua rendição. Os prisioneiros eram açoitados, torturados e crucificados diante dos muros da cidade. Ao longo do vale de Josafá e no Calvário se ergueram inúmeras cruzes. Mal havia espaço para alguém se movimentar entre elas. Dessa maneira, cumpriu-se o espantoso desejo manifestado perante o tribunal de Pilatos: "Que o sangue dEle caia sobre nós e sobre nossos filhos!" (Mateus 27:25).

Tito enchia-se de terror ao ver os corpos espalhados pelos vales. Como alguém em êxtase, ele contemplava o templo esplendoroso, enquanto emitia ordens para que nenhuma pedra do local fosse tocada. Fez enérgico apelo aos líderes judaicos para que não o forçassem a contaminar com sangue o lugar sagrado. Se eles combatessem em qualquer outro lugar, nenhum soldado romano violaria a santidade do templo. O próprio Josefo, historiador judeu que estava a serviço dos romanos, suplicou que se rendessem, para se salvarem, bem como sua cidade e seu lugar de adoração a Deus. Com amargas pragas, contudo, dardos foram lançados contra ele, que era a última pessoa a favor dos judeus. Os esforços de Tito para salvar o templo não foram bem-sucedidos. Alguém maior do que ele havia declarado que não ficaria pedra sobre pedra.

Tito finalmente resolveu invadir o templo, para tentar, se possível, salvá-lo da destruição. Mas suas ordens foram desatendidas. Um soldado lançou uma tocha através de uma abertura no edifício, e imediatamente as salas revestidas de cedro, ao redor da casa sagrada, estavam em chamas. Tito se precipitou para o local e ordenou aos soldados que apagassem as chamas. Suas palavras não foram atendidas. Em sua fúria, os soldados lançaram tochas nas salas adjacentes ao templo e com a espada assassinavam aqueles que ali tinham procurado abrigo. O sangue corria como água pelas escadas.

Devemos muito a Cristo pela paz e proteção de que desfrutamos.

Depois da destruição do templo, a cidade inteira foi invadida pelos romanos. Os líderes judaicos abandonaram as torres impenetráveis. Tito declarou que Deus os havia entregue em suas mãos, pois nenhuma arma, por mais poderosa que fosse, poderia ter penetrado naquelas enormes muralhas. Tanto a cidade quanto o templo foram arrasados até os fundamentos, e o terreno em que se erguia o local sagrado foi "[arado] como um campo" (Jeremias 26:18). Mais de um milhão de pessoas morreram; os sobreviventes foram levados cativos, vendidos como escravos, arrastados até Roma, lançados às feras nos anfiteatros ou dispersos por toda a Terra.

Os judeus haviam enchido para si mesmos a taça da retribuição. Em todas as aflições que os acompanharam espalhados pelo mundo estavam apenas colhendo o que suas mãos haviam plantado. "A tua ruína, ó Israel, vem de ti" (Oseias 13:9, ARA). "Seus pecados causaram sua queda!" (Oseias 14:1). Os sofrimentos dos judeus são muitas vezes considerados uma punição por decreto direto da parte de Deus. É assim que o grande enganador procura esconder sua própria atuação. Pela inflexível rejeição do amor e misericórdia divinos, os judeus fizeram com que a proteção de Deus fosse retirada deles.

Devemos muito a Cristo pela paz e proteção de que desfrutamos. O poder controlador de Deus impede que a humanidade seja completamente dominada por Satanás. Os desobedientes têm grandes motivos para serem gratos pela misericórdia e paciência de Deus. Quando, porém, os seres humanos ultrapassam os limites da clemência divina, a restrição é removida. Deus não executa diretamente a sentença contra o pecado. Permite, em vez disso, que os que rejeitam Sua misericórdia colham aquilo que plantaram. Cada raio de luz rejeitado é uma semente lançada, a qual produz infalível resultado. O Espírito de Deus, rejeitado de maneira persistente, é finalmente retirado. Então nenhum poder permanece para controlar os maus desejos, nenhuma proteção contra a maldade e inimizade de Satanás.

O mundo novamente surpreendido – A destruição de Jerusalém é uma solene advertência a todos aqueles que resistem aos apelos da misericórdia divina. A profecia do Salvador a respeito dos juízos que cairiam sobre Jerusalém terá outro cumprimento. No destino da cidade escolhida podemos ver a condenação de um mundo que rejeitou a misericórdia de Deus e desprezou Sua lei. Tenebrosos são os registros da aflição humana. Terríveis têm sido os resultados de rejeitar-se a autoridade do Céu. Porém, nas revelações sobre o futuro é apresentada uma cena ainda mais tenebrosa.

Quando o Espírito de Deus for totalmente retirado, não mais contendo os maus desejos humanos e a ira satânica, o mundo contemplará, como nunca antes, os resultados do governo de Satanás.

Naquele dia, tal como na destruição de Jerusalém, o povo de Deus será protegido (veja Isaías 4:3). Cristo voltará para reunir os Seus fiéis. "Todas as nações da Terra se lamentarão e verão o Filho do homem vindo nas nuvens do céu com poder e grande glória. E Ele enviará os Seus anjos com grande som de trombeta, e estes reunirão os Seus eleitos dos quatro ventos, de uma a outra extremidade dos céus" (Mateus 24:30, 31).

Que ninguém negligencie a lição transmitida pelas palavras de Cristo. Assim como Ele advertiu os discípulos sobre a destruição de Jerusalém para que pudessem escapar, também advertiu o mundo quanto ao dia da destruição final. Todos os que quiserem, poderão escapar. "Haverá sinais no Sol, na Lua e nas estrelas. Na Terra, as nações estarão em angústia e perplexidade com o bramido e a agitação do mar" (Lucas 21:25; veja Mateus 24:29, 30; Marcos 13:24-26; Apocalipse 6:12-17). "Vigiem", é a advertência de Cristo (Marcos 13:35). Aqueles que atenderem ao aviso, não serão deixados em trevas.

O mundo não está mais preparado para aceitar a mensagem para o nosso tempo do que estiveram os judeus para receber o aviso do Salvador a respeito de Jerusalém. Venha quando vier, o dia do Senhor surpreenderá os ímpios. Correndo a vida sua rotina constante, estando as pessoas envolvidas em prazeres, negócios, projetos e ambição de ganho fácil; estando os líderes religiosos a engrandecer o progresso do mundo; e encontrando-se as pessoas embaladas num falso senso de segurança – então, como o ladrão que à meia-noite rouba a casa não protegida, virá repentina destruição aos despreocupados e ímpios (veja 1 Tessalonicenses 5:2-5).

9 Esperança real

A promessa da segunda vinda de Cristo, para concluir a grande tarefa da salvação, é a grande ênfase das Sagradas Escrituras. Desde o Éden, os filhos de Deus têm esperado a vinda do Prometido, para levá-los novamente ao paraíso perdido.

Enoque, o sétimo na descendência daqueles que habitaram o Éden, declarou: "O Senhor vem com milhares de milhares de Seus santos, para julgar a todos" (Judas 14, 15). Jó, em meio às trevas de sua aflição, exclamou: "Porque eu sei que o meu Redentor vive e por fim Se levantará sobre a Terra; [...] em minha carne verei a Deus. Vê-Lo-ei por mim mesmo, os meus olhos O verão, e não outros" (Jó 19:25-27, ARA). Os poetas e profetas da Bíblia trataram da volta de Cristo com palavras cheias de vida. "Regozijem-se os céus e exulte a Terra! [...] Cantem diante do Senhor, porque Ele vem, vem julgar a Terra; julgará o mundo com justiça e os povos, com a Sua fidelidade!" (Salmo 96:11, 13).

Escreveu Isaías: "Naquele dia dirão: 'Este é o nosso Deus; nós confiamos nEle, e Ele nos salvou. Este é o Senhor, nós confiamos nEle; exultemos e alegremo-nos, pois Ele nos salvou'" (Isaías 25:9).

O Salvador confortou Seus discípulos com a certeza de que viria outra vez: "Na casa de Meu Pai há muitos aposentos [...]. Vou preparar-lhes lugar. E se Eu for [...], voltarei e os levarei para Mim, para que vocês estejam onde Eu estiver" (João 14:2, 3); "Quando o Filho do homem vier em Sua glória, com todos os anjos, assentar-Se-á em Seu trono na glória celestial. Todas as nações serão reunidas diante dEle" (Mateus 25:31, 32).

Anjos repetiram aos discípulos a promessa de Sua volta: "Este mesmo Jesus, que dentre vocês foi elevado aos Céus, voltará da mesma forma como O viram subir" (Atos 1:11). Paulo garantiu: "Dada a ordem, com a voz do arcanjo e o ressoar da trombeta de Deus, o próprio Senhor descerá dos céus, e os mortos em Cristo ressuscitarão primeiro" (1 Tessalonicenses 4:16). Disse o profeta de Patmos: "Eis que Ele vem com as nuvens, e todo olho O verá" (Apocalipse 1:7).

Naquele momento, terá fim o prolongado domínio do mal. "O reino do mundo" se tornará "de nosso Senhor e do seu Cristo, e Ele reinará para todo o sempre" (Apocalipse 11:15). "O Soberano, o Senhor, fará nascer a justiça e o louvor diante de todas as nações" (Isaías 61:11).

Será então estabelecido o reino pacífico do Salvador. "Com certeza o Senhor consolará Sião e olhará com compaixão para todas as ruínas dela; Ele tornará seus desertos como o Éden, seus ermos, como o jardim do Senhor. Alegria e contentamento serão achados nela, ações de graças e som de canções" (Isaías 51:3).

A vinda do Senhor tem sido em todos os tempos a esperança de Seus verdadeiros seguidores. Em meio a sofrimento e perseguição, "a gloriosa manifestação de nosso grande Deus e Salvador, Jesus Cristo", foi a "bendita esperança" (Tito 2:13). Paulo falou sobre a ressurreição que ocorrerá por ocasião do retorno do Salvador, quando os mortos em Cristo ressuscitarão, e junto com os vivos subirão para encontrar o Senhor nos ares. Completou o apóstolo: "Consolem-se uns aos outros com essas palavras" (1 Tessalonicenses 4:18).

Em Patmos, o discípulo amado ouve a promessa: "Sim, venho em breve!" E sua resposta sintetiza a prece de todos os cristãos: "Amém. Vem, Senhor Jesus" (Apocalipse 22:20).

Dos calabouços, das fogueiras, das forcas, onde os santos e mártires testemunharam da verdade, vem através dos séculos a voz de sua fé e esperança. Escreveu um desses cristãos: "Estando certos da ressurreição pessoal de Cristo e, consequentemente, de sua própria, por ocasião da vinda de Jesus, essas pessoas desprezavam a morte, e verificava-se estarem acima dela" (Daniel T. Taylor, *The Reign of Christ on Earth; or, The Voice of the Church in All Ages*, p. 33). Os valdenses acalentavam a mesma esperança. Wycliffe, Lutero, Calvino, Knox, Ridley e Baxter olhavam com fé para a volta do Senhor. Essa foi a esperança da igreja apostólica, da "igreja no deserto" e dos reformadores.

A profecia não somente prediz a maneira e o objetivo da vinda de Cristo, mas apresenta ainda sinais pelos quais podemos saber quão próximo está esse dia. "Haverá sinais no Sol, na Lua e nas estrelas" (Lucas 21:25). "'O Sol escurecerá e a Lua não dará a sua luz; as estrelas cairão do céu e os poderes celestes serão abalados.' Então se verá o Filho do homem vindo nas nuvens com grande poder e glória" (Marcos 13:24-26). O Apocalipse descreve assim alguns dos sinais que antecedem o retorno de Jesus: "Houve um grande terremoto. O Sol ficou escuro como tecido de crina negra, toda a Lua tornou-se vermelha como sangue" (Apocalipse 6:12).

O terremoto que abalou o mundo – Em cumprimento dessa profecia, em 1755, ocorreu o mais terrível terremoto que já foi registrado. Conhecido como Terremoto de Lisboa, estendeu-se pela Europa, África e América. Foi sentido na Groenlândia, nas Antilhas, na Ilha da Madeira, na Noruega, na Suécia, na Grã-Bretanha e na Irlanda, numa extensão de mais de dez milhões de quilômetros quadrados. Na África, o choque foi quase tão violento quanto na Europa. Grande parte da Argélia foi destruída. Uma vasta onda varreu a costa da Espanha e da África, submergindo cidades.

Montanhas, "algumas das maiores de Portugal, foram impetuosamente sacudidas, como que até os fundamentos. Algumas delas se abriram nos cumes, os quais se partiram e rasgaram de modo assombroso, sendo delas lançadas imensas massas para os vales próximos. É dito que saíram chamas dessas montanhas".

Em Lisboa, "um som como de trovão foi ouvido debaixo do solo e imediatamente depois um violento choque derrubou a maior parte da cidade. Em um período de aproximadamente seis minutos, morreram 60 mil pessoas. O mar inicialmente se recolheu, deixando seca a barra; mas depois voltou, erguendo-se mais de doze metros acima de seu nível normal" (*Sir* Charles Lyell, *Principles of Geology*, p. 495).

"O terremoto ocorreu num dia santo, em que as igrejas e conventos estavam repletos de pessoas, das quais muito poucas escaparam" (*Encyclopedia Americana*, edição de 1831, verbete "Lisbon"). "O terror do povo foi indescritível. Ninguém chorava; a situação estava além das lágrimas. Corriam de um lado para outro, em delírio, com horror e espanto, batendo no rosto e no peito, exclamando: 'Misericórdia! É o fim do mundo!' Mães esqueciam-se de seus filhos e corriam para qualquer parte, carregando crucifixos. Muitos corriam para as igrejas em busca de proteção; mas em vão foi exposto o sacramento; em vão as pobres criaturas abraçaram os altares; imagens, padres e povo foram sepultados na mesma ruína."

O escurecimento do Sol e da Lua – Vinte e cinco anos mais tarde apareceu o sinal seguinte mencionado na profecia: o escurecimento do Sol e da Lua. O tempo de seu cumprimento havia sido indicado de maneira precisa na conversa do Salvador com os discípulos: "*Naqueles dias, após* aquela tribulação, 'o Sol escurecerá e a Lua não dará a sua luz'" (Marcos 13:24). Os 1.260 dias proféticos, ou anos literais, terminaram em 1798. Vinte e cinco anos antes, a perseguição já havia cessado quase completamente. Em seguida à perseguição, o Sol se escureceria. Em 19 de maio de 1780, cumpriu-se essa profecia.

Uma testemunha ocular, de Massachusetts, Estados Unidos, descreveu o evento nos seguintes termos: "Pesada nuvem negra se espalhou por todo o céu, exceto uma estreita margem no horizonte, e ficou tão escuro como geralmente é às nove horas de uma noite de verão. [...]

"Temor, ansiedade e pavor encheram gradualmente o coração das pessoas. Mulheres ficavam à porta, olhando para a escura paisagem; os homens voltavam de seu trabalho no campo; o carpinteiro deixava as suas ferramentas; o ferreiro, a forja; o negociante, o balcão. As aulas foram suspensas, e as crianças, tremendo, correram para casa. Os viajantes acolhiam-se à fazenda mais próxima. 'O que acontecerá?', indagavam todos os lábios e corações. Muitos diriam que um furacão estivesse prestes a precipitar-se sobre o país ou que fosse o dia do fim de todas as coisas.

"Foram acesas velas, e o fogo na lareira brilhava tanto como em noite de outono sem luar. [...] As aves retiravam-se aos poleiros para ir dormir; o gado ajuntava-se no estábulo e berrava; as rãs coaxavam; os pássaros entoavam seus cantos vespertinos; e os morcegos voavam ao redor. Mas os seres humanos sabiam que a noite ainda não havia chegado. [...]

"Foram realizados cultos em muitos lugares. Os textos para os sermões improvisados eram geralmente os que indicavam as trevas como cumprimento da profecia bíblica. [...] As trevas foram mais densas logo depois das onze horas" (*The Essex Antiquarian*, v. 3, nº 4 [abril de 1899], p. 53, 54).

"Na maioria dos lugares do país, as trevas foram tão grandes durante o dia que as pessoas não podiam dizer a hora, quer pelo relógio de bolso, quer pelo de parede, nem jantar, nem realizar suas obrigações domésticas, sem a luz de velas" (William Gordon, *History of the Rise, Progress and Establishment of the Independence of the U.S.A.*, v. 3, p. 57).

Lua como sangue – "Naquele dia, as trevas da noite não foram menos incomuns e aterrorizadoras do que as do dia. Apesar de ser quase lua cheia, nenhum objeto podia ser distinguido a não ser com o auxílio de alguma luz artificial, que, quando vista das casas vizinhas ou de outros lugares a certa distância, era vista através de profundas trevas, que pareciam quase impermeáveis aos raios de luz" (Isaiah Thomas,

Massachusetts Spy; or, American Oracle of Liberty, v. 10, nº 472 [25 de maio de 1780]). "Se todos os corpos luminosos do Universo tivessem sido envoltos em sombras impenetráveis, ou completamente destruídos, as trevas não teriam sido maiores" (Carta do Dr. Samuel Tenney, de Exeter, New Hampshire, dezembro de 1792, em *Massachusetts Historical Society Collections*, v. 1, p. 97). Depois da meia-noite, as trevas se desfizeram, e a Lua, ao tornar-se visível, tinha a aparência de sangue.

O dia 19 de maio de 1780 é lembrado pela história como "o Dia Escuro". Desde os tempos de Moisés (veja Êxodo 10:21-23), não havia sido registrado um período de trevas de igual densidade, extensão e duração. A descrição oferecida por testemunhas oculares é apenas um eco das palavras registradas por Joel, cerca de 2.500 anos antes: "O Sol se tornará em trevas, e a Lua em sangue, antes que venha o grande e temível dia do Senhor" (Joel 2:31).

"Quando começarem a acontecer estas coisas", disse Cristo, "levantem-se e ergam a cabeça, porque estará próxima a redenção de vocês" (Lucas 21:28). Apontando para as árvores, Jesus também apresentou uma comparação a Seus seguidores: "Quando elas brotam, vocês mesmos percebem e sabem que o verão está próximo. Assim também, quando virem estas coisas acontecendo, saibam que o Reino de Deus está próximo" (Lucas 21:30, 31).

> "Quando começarem a acontecer estas coisas", disse Cristo, "levantem-se e ergam a cabeça, porque estará próxima a redenção."

Entre os cristãos, o amor a Cristo e a fé em Sua vinda haviam se esfriado. O pretenso povo de Deus estava cego às instruções do Salvador a respeito dos sinais de Seu retorno. A doutrina da segunda vinda tinha sido negligenciada, a ponto de estar em grande parte esquecida e mesmo ignorada, especialmente nos Estados Unidos. Um incontrolável desejo de adquirir dinheiro, a ansiosa busca de popularidade e poder, levavam as pessoas a adiar para um tempo muito distante a ocasião solene em que desapareceria a atual situação do mundo.

O Salvador indicou a condição de rebelião que existiria precisamente antes de Seu retorno. Para aqueles que vivessem nesse tempo, a advertência de Cristo é: "Tenham cuidado, para não sobrecarregar o coração de vocês de libertinagem, bebedeira e ansiedades da vida, e aquele dia venha sobre vocês inesperadamente. [...] Estejam sempre atentos e orem para que vocês possam escapar de tudo o que está para acontecer, e estar em pé diante do Filho do homem" (Lucas 21:34, 36).

Era necessário que as pessoas despertassem a fim de estar preparadas para os acontecimentos solenes relacionados ao fim da oportunidade de salvação. "Como é grande o dia do Senhor! Como será terrível! Quem poderá suportá-lo?" (Joel 2:11). Quem poderá suportar quando aparecer Aquele cujos olhos são "tão puros que não suportam ver o mal" (Habacuque 1:13), e não pode contemplar a maldade?

Chamado a despertar – Em vista desse grande dia, a Palavra de Deus convida as pessoas a buscá-Lo com arrependimento: "O dia do Senhor está chegando. Está próximo! [...] Toquem a trombeta em Sião, decretem jejum santo, convoquem uma assembleia sagrada [...]. Voltem-se para Mim de todo o coração, com jejum, lamento e pranto. [...] Rasguem o coração, e não as vestes. Voltem-se para o Senhor, o seu Deus, pois Ele é misericordioso e compassivo, muito paciente e cheio de amor" (Joel 2:1, 15, 12, 13).

A fim de reunir um povo para estar preparado no dia de Deus, deveria ser realizada uma grande missão. Deus, em Sua misericórdia, estava prestes a enviar uma mensagem de advertência a fim de levá-los a estar preparados para a vinda de Jesus.

Essa advertência é revelada em Apocalipse 14. Nesse texto, três mensagens são proclamadas por seres celestiais, e imediatamente seguidas pela vinda de Cristo para buscar a "colheita da Terra". O profeta viu um anjo "que voava pelo céu e tinha na mão o evangelho eterno para proclamar aos que habitam na Terra, a toda nação, tribo, língua e povo. Ele disse em alta voz: 'Temam a Deus e glorifiquem-nO, pois chegou a hora do Seu juízo. Adorem Aquele que fez os céus, a Terra, o mar e as fontes das águas'" (Apocalipse 14:6, 7).

O texto bíblico declara que essa mensagem é parte do "evangelho eterno". A tarefa de pregação foi entregue aos seres humanos. Santos anjos os auxiliam, mas a proclamação do evangelho propriamente dita é realizada pelos servos de Cristo na Terra. Pessoas fiéis, obedientes à voz do Espírito de Deus e aos ensinamentos de Sua Palavra, devem proclamar essa advertência. Eles têm buscado a sabedoria de Deus, considerando-a "mais proveitosa do que a prata" e mais lucrativa "do que o ouro" (Provérbios 3:14). "O Senhor confia os Seus segredos aos que O temem, e os leva a conhecer a Sua aliança" (Salmo 25:14).

Mensagem apresentada por pessoas humildes – Se os eruditos teólogos tivessem realizado seu dever, pesquisando a Bíblia cuidadosamente e com oração, teriam percebido o tempo em que viviam. As profecias lhes teriam esclarecido os acontecimentos prestes a ocorrer. Mas a mensagem foi apresentada por pessoas mais humildes. Aqueles que negligenciam buscar a luz que está ao seu alcance, são deixados em trevas. Porém, o Salvador declara: "Quem Me segue, nunca andará em trevas, mas terá a luz da vida" (João 8:12). A essa pessoa será enviada alguma estrela de brilho celestial para guiá-la em toda a verdade.

Na época da primeira vinda de Cristo, os sacerdotes e escribas da cidade santa poderiam ter percebido "os sinais dos tempos" e proclamado a vinda do Prometido. Miqueias designou o local de Seu nascimento (veja Miqueias 5:2); Daniel, o tempo em que deveria ocorrer Sua vinda (veja Daniel 9:25). Os líderes judeus estariam sem desculpas se não soubessem. A ignorância deles era o resultado da pecaminosa negligência.

Os líderes de Israel deveriam ter estudado, com profundo interesse, o lugar, o tempo e as circunstâncias do maior evento da história do mundo: a vinda do Filho de Deus. O povo deveria ter vigiado para dar as boas-vindas ao Salvador do mundo. Mas em Belém dois cansados viajantes, vindos de Nazaré, percorreram toda a estreita rua até a extremidade leste da cidade, procurando em vão um lugar como abrigo para a noite. Nenhuma porta estava aberta para recebê-los. Em uma simples cabana preparada para animais, finalmente encontraram refúgio, e ali nasceu o Salvador do mundo.

Quem daria boas-vindas a Jesus? – Foram escolhidos anjos para levar as boas-novas aos que estavam preparados para recebê-las e que alegremente falariam delas aos outros. Cristo Se humilhou ao tornar-Se um ser humano e suportar um peso infinito de aflições ao oferecer Sua vida como sacrifício pelo pecado. Entretanto, os anjos desejavam que mesmo em Sua humilhação o Filho de Deus pudesse aparecer diante das pessoas com dignidade e glória condizentes com Seu caráter. Os grandes líderes da Terra se reuniriam na capital de Israel para saudar a Sua vinda? Multidões de anjos apresentariam Jesus à multidão ansiosa por ver o Salvador?

Um anjo visitou a Terra a fim de ver quem estava preparado para receber Jesus. Porém, não ouviu voz de louvor anunciando que estava próximo o tempo da vinda do Messias. O anjo paira por algum tempo sobre a cidade escolhida e sobre o templo, onde a presença divina havia sido manifestada durante séculos, mas mesmo lá existia indiferença. Os sacerdotes, em pompa e orgulho, estão oferecendo profanos sacrifícios. Os fariseus, em alta voz, fazem discursos ao povo ou arrogantes orações nas esquinas das ruas. Reis, filósofos, rabis – todos estão inconscientes do maravilhoso fato de que o Salvador dos seres humanos está prestes a aparecer.

Perplexo, o mensageiro celestial está quase retornando ao Céu com a desonrosa notícia, quando descobre alguns pastores que vigiam seus rebanhos. Olhando o céu repleto de estrelas, meditam nas profecias sobre o Messias que viria e desejam a chegada do Libertador do mundo. Ali encontra-se um grupo que está preparado para receber a mensagem do Céu. Subitamente a glória celestial inunda toda a planície, ao aparecer uma incontável multidão de anjos. E, como se a alegria fosse grande demais para ser trazida do Céu por apenas um mensageiro, uma multidão de vozes irrompe em cânticos que um dia serão entoados por todos os salvos: "Glória a Deus nas alturas, e paz na Terra aos homens aos quais Ele concede o Seu favor" (Lucas 2:14).

Que grande lição existe na maravilhosa história de Belém! Quanto ela reprova nossa incredulidade, nosso orgulho e autossuficiência! Quanto nos adverte para que não deixemos de perceber os sinais dos tempos e de reconhecer o dia em que o Senhor virá!

Não foi somente entre os humildes pastores que os anjos encontraram aqueles que aguardavam a vinda do Messias. Fora de Israel havia também pessoas que O esperavam: homens ricos, nobres e sábios, filósofos do Oriente. Pelo Antigo Testamento, tinham aprendido acerca da Estrela que surgiria de Jacó. Esperavam ansiosamente a vinda dAquele que seria não somente a "consolação de Israel", mas também a "luz para revelação aos gentios" (Lucas 2:25, 32) e "salvação até os confins da Terra" (Atos 13:47). A estrela enviada pelo Céu guiou os estrangeiros ao lugar do nascimento do recém-nascido Rei.

Cristo aparecerá "segunda vez", para levar a salvação aos que aguardam esse dia.

Cristo aparecerá "segunda vez", para levar a salvação aos que aguardam esse dia (Hebreus 9:28). Assim como as boas-novas do nascimento do Salvador, a mensagem da segunda vinda não foi entregue aos líderes religiosos do povo. Eles haviam recusado a luz do Céu; portanto, não estavam entre aqueles descritos pelo apóstolo Paulo: "Vocês, irmãos, não estão nas trevas, para que esse dia os surpreenda como ladrão. Vocês todos são filhos da luz, filhos do dia. Não somos da noite nem das trevas" (1 Tessalonicenses 5:4, 5).

Os vigias sobre os muros de Jerusalém deveriam ter sido os primeiros a receber as boas-novas da chegada do Salvador, os primeiros a proclamar que Ele estava próximo. Porém, estavam entregues ao comodismo, enquanto o povo dormia em seus pecados. Jesus viu Seu povo, como a figueira infrutífera, coberto de folhas pretensiosas, mas que não possuía o precioso fruto. A atitude de verdadeira humildade, arrependimento e fé estava em falta. Havia orgulho, formalismo, egoísmo e opressão. Um povo corrompido fechava os olhos aos sinais dos tempos. As pessoas haviam se afastado de Deus e de Seu amor. Por se recusarem a satisfazer as condições, as promessas divinas não se cumpriram para elas.

Muitos pretensos seguidores de Cristo se recusam a receber a luz do Céu. Como os antigos judeus, não percebem o tempo em que o Senhor virá. Deus os passa por alto e revela Sua verdade aos que, como os pastores de Belém e os sábios do Oriente, prestam atenção a toda a luz que recebem.

10 O grande resgate

Quando a proteção das leis humanas for retirada daqueles que honram a lei de Deus, haverá, em diferentes países, um movimento simultâneo com o objetivo de destruí-los. Ao aproximar-se o tempo indicado no decreto, o povo conspirará para eliminá-los em uma noite, e, dessa forma, silenciar a voz de discordância e reprovação.

O povo de Deus – alguns nas celas das prisões, outros escondidos nas florestas e montanhas – suplica a proteção divina. Homens armados, instigados por anjos maus, se preparam para a tarefa de morte. Nesse momento, na hora de maior dificuldade, Deus intervirá. "Vocês cantarão como em noite de festa sagrada; seus corações se regozijarão como quando se vai [...] ao monte do Senhor, à Rocha de Israel. O Senhor fará que os homens ouçam Sua voz majestosa" (Isaías 30:29, 30).

Multidões de homens maus estão prestes a atacar a presa, quando profundas trevas, mais intensas do que as trevas da noite, invadem a Terra. Então o arco-íris atravessa os céus e parece cercar cada um dos grupos em oração. As multidões iradas se detêm. Esquecem-se do objeto de sua ira sanguinária. Contemplam o símbolo da aliança de Deus, desejando proteger-se de seu brilho.

O povo de Deus ouve uma voz, dizendo: "Olhe para cima!" Como Estêvão, essas pessoas erguem os olhos e veem Cristo em Seu trono (veja Atos 7:55, 56). Percebem claramente os sinais de Sua humilhação, e ouvem o pedido: "Quero que os que Me deste estejam comigo onde Eu estou" (João 17:24). Então, Jesus diz: "Eles vêm! Eles vêm! Santos, inocentes e incontaminados. Guardaram a palavra da Minha paciência."

À meia-noite, Deus manifesta o Seu poder para libertar Seu povo. O Sol aparece resplandecendo em sua força. Ocorrem sinais e maravilhas. Os perdidos contemplam a cena com terror, enquanto que os justos veem os sinais de seu livramento. Em meio aos céus agitados, existe um espaço claro, de glória indescritível, de onde vem a voz de Deus como o som de muitas águas, dizendo: "Está feito" (Apocalipse 16:17).

Essa voz abala os céus e a Terra. Há um grande terremoto, e "nunca havia ocorrido um terremoto tão forte como esse desde que o homem existe sobre a Terra" (Apocalipse 16:18). Perigosas rochas são espalhadas por toda parte. O mar agita-se em fúria. Ouve-se o som do furacão, semelhante à voz dos demônios. A superfície da Terra está sendo partida. Seus próprios fundamentos parecem ceder. Os portos marítimos que, pela sua iniquidade, se tornaram como Sodoma e Gomorra, são engolidos pelas águas enfurecidas. Grandes pedras de saraiva realizam sua tarefa destruidora. Orgulhosas cidades são destruídas. Luxuosos palácios, nos quais pessoas desperdiçaram suas riquezas com a glorificação própria, desmoronam-se diante de seus olhos. As paredes das prisões se fendem, e o povo de Deus é libertado.

As sepulturas são abertas e "multidões que dormem no pó da terra acordarão: uns para a vida eterna, outros para a vergonha, para o desprezo eterno" (Daniel 12:2). "Até mesmo aqueles que O traspassaram" (Apocalipse 1:7), os que zombaram da agonia de Cristo, e os mais severos inimigos da verdade, ressuscitam para contemplá-Lo em Sua glória e ver a honra concedida aos fiéis e obedientes.

Violentos relâmpagos envolvem a Terra num lençol de chamas. Em meio ao estrondo do trovão, vozes misteriosas e terríveis declaram o destino dos ímpios. Aqueles que haviam sido desafiadores e arrogantes, cruéis para com o povo de Deus, que guarda os mandamentos, agora estremecem de medo. Demônios tremem enquanto seres humanos suplicam misericórdia.

O dia do juízo – Disse o profeta Isaías: "Naquele dia os homens atirarão aos ratos e aos morcegos os ídolos de prata e os ídolos de ouro, que fizeram para adorar. Fugirão para as cavernas das rochas e para as brechas dos penhascos, por causa do terror que vem do Senhor e do esplendor da Sua majestade, quando Ele Se levantar para sacudir a Terra" (Isaías 2:20, 21).

Aqueles que tudo sacrificaram por Cristo, agora estão em segurança. Perante o mundo e em face da morte, demonstraram sua fidelidade Àquele que morreu por eles. O rosto deles, pouco antes tão pálido e descomposto, resplandece agora com admiração. A voz deles se ergue em cântico de triunfo: "Deus é o nosso refúgio e a nossa fortaleza, auxílio sempre presente na adversidade. Por isso não temeremos, ainda que a terra trema e os montes afundem no coração do mar, ainda que estrondem as suas águas turbulentas e os montes sejam sacudidos pela sua fúria" (Salmo 46:1-3).

Enquanto essas palavras de santa confiança se elevam a Deus, a glória da cidade celestial passa por suas portas entreabertas. Aparece então no céu a mão divina segurando duas tábuas de pedra. Aquela santa lei, proclamada no monte Sinai, agora é apresentada como a norma do juízo. As palavras são tão claras que podem ser lidas por todos. A memória é despertada. São eliminadas de todas as mentes as trevas da superstição e dos falsos ensinos.

É impossível descrever o horror e desespero daqueles que desprezaram a lei de Deus. Para conseguir a aprovação do mundo, rejeitaram

Seus mandamentos e ensinaram outros a desobedecê-los. Agora são condenados por aquela lei que desprezaram. Percebem que não têm desculpas. Os inimigos da lei de Deus têm agora nova compreensão da verdade e do dever. Tarde demais, veem que o sábado do quarto mandamento é o selo do Deus vivo. Percebem que estiveram lutando contra Deus. Líderes religiosos conduziram pessoas a se perderem, embora pretendessem guiá-las às portas do paraíso. Quão grande é a responsabilidade daqueles que ocupam o ofício sagrado, quão terríveis são os resultados da infidelidade deles!

Aparece o Rei dos reis – A voz de Deus é ouvida, declarando o dia e a hora da vinda de Jesus. O povo de Deus fica a ouvir, tendo o rosto iluminado com Sua glória. Imediatamente surge no Leste uma pequena nuvem escura. É a nuvem que envolve o Salvador. Em solene silêncio, o povo de Deus a observa enquanto se aproxima, até ela se tornar uma grande nuvem branca, mostrando na base uma glória semelhante ao fogo consumidor, e por cima, o arco-íris do concerto. Agora não mais como "Homem de dores" (Isaías 53:3), Jesus aparece como poderoso vencedor. Santos anjos, em vasta e incontável multidão, acompanham o Salvador, "milhares de milhares e milhões de milhões". Todos os olhos contemplam o Príncipe da vida. Uma coroa de glória está sobre a santa cabeça. Seu rosto emite um brilho deslumbrante, como o Sol do meio-dia. "Em Seu manto e em Sua coxa está escrito este título: Rei dos reis e Senhor dos senhores" (Apocalipse 19:16).

O Rei dos reis desce sobre a nuvem, envolto em fogo flamejante. A Terra treme diante dEle. "Nosso Deus vem! Certamente não ficará calado! À Sua frente vai um fogo devorador, e, ao Seu redor, uma violenta tempestade. Ele convoca os altos céus e a Terra, para o julgamento do Seu povo" (Salmo 50:3, 4).

"Então os reis da Terra, os príncipes, os generais, os ricos, os poderosos todos, escravos e livres, esconderam-se em cavernas e entre as rochas das montanhas. Eles gritavam às montanhas e às rochas: 'Caiam sobre nós e escondam-nos da face dAquele que está assentado no trono e da ira do Cordeiro! Pois chegou o grande dia da ira dEles; e quem poderá suportar?'" (Apocalipse 6:15-17).

Cessou a zombaria, os lábios mentirosos estão em silêncio. Ouve-se apenas a voz de orações e o som de choro. Os ímpios suplicam para que sejam sepultados sob as rochas das montanhas, em vez de ver o rosto dAquele que desprezaram. Eles conhecem aquela voz que penetra no ouvido dos mortos. Quantas vezes aquele delicado som os chamou ao arrependimento! Quantas vezes foi ouvida nas súplicas tocantes de um amigo, um irmão, um Salvador! Aquela voz desperta lembranças de advertências desprezadas, de convites recusados.

"Este é o nosso Deus; nós confiamos nEle, e Ele nos salvou."

Ali estão os que zombaram de Cristo em Sua humilhação. Ele declarou: "Chegará o dia em que vereis o Filho do homem assentado à direita do Poderoso e vindo sobre as nuvens do céu" (Mateus 26:64). Agora contemplam Jesus em Sua glória, e ainda devem vê-Lo assentado à direita do poderoso Deus. Ali está o orgulhoso Herodes, que zombou do título real de Cristo. Ali estão aqueles que, com mãos ímpias, colocaram sobre Sua cabeça a coroa de espinhos e na mão uma imitação de cetro. Aqueles que se prostraram diante dEle em zombaria blasfema, que cuspiram no Príncipe da vida. Tentam fugir de Sua presença. Aqueles que pregaram Suas mãos e pés contemplam esses sinais com terror e remorso.

Com terrível precisão, sacerdotes e príncipes recordam-se dos acontecimentos do Calvário, quando, balançando a cabeça em satânica alegria, exclamaram: "Salvou os outros, mas não é capaz de salvar a Si mesmo!" (Mateus 27:42). Mais alto que o grito "Crucifica-O! Crucifica-O!", que ecoou por Jerusalém, eleva-se o choro desesperado: "Ele é o Filho de Deus!" Eles procuram fugir da presença do Rei dos reis.

Na vida de todos os que rejeitam a verdade, há momentos em que a consciência é despertada, em que a mente é oprimida por inúteis decepções. Mas o que é isso ao ser comparado com o remorso daquele dia? No meio do terror que atinge essas pessoas, é ouvida a voz dos salvos, exclamando: "Este é o nosso Deus; nós confiamos nEle, e Ele nos salvou" (Isaías 25:9).

A voz do Filho de Deus chama os salvos que dormem. Por toda a Terra os mortos ouvirão aquela voz, e os que a ouvirem viverão – um grande exército de toda nação, tribo, língua e povo. Do cárcere da morte eles vêm, vestidos de glória imortal, clamando: "Onde está, ó morte, a sua vitória? Onde está, ó morte, o seu aguilhão?" (1 Coríntios 15:55).

Todos saem do túmulo com a mesma altura que tinham quando lá entraram. Todos, porém, surgem com a saúde e vigor da eterna juventude. Cristo veio para restaurar aquilo que havia sido perdido. Ele mudará nosso corpo corrompido e o transformará conforme Seu corpo glorioso. A forma mortal e corruptível, antes contaminada pelo pecado, torna-se perfeita, bela e imortal. Defeitos e deformidades são deixados no túmulo. Os salvos "sairão e saltarão" (Malaquias 4:2), crescendo até a estatura completa da raça humana em sua glória original, sendo removidos os últimos resquícios da maldição do pecado. Os fiéis de Cristo refletirão no espírito, alma e corpo a imagem perfeita de seu Senhor.

Os justos vivos são transformados "num momento, num abrir e fechar de olhos" (1 Coríntios 15:52). Diante da voz de Deus, tornam-se imortais, e com os salvos ressuscitados sobem para encontrar seu Senhor nos ares. Os anjos "reunirão os Seus eleitos dos quatro ventos, de uma a outra extremidade dos céus" (Mateus 24:31). Criancinhas são levadas aos braços de sua mãe. Amigos há muito tempo separados pela morte reúnem-se, para nunca mais se separarem, e com cânticos de alegria sobem juntos para a cidade de Deus.

Na cidade santa – Na multidão incontável dos resgatados, os olhares de todos fixam-se em Jesus. Todos os olhos contemplam a Sua glória.

Na cabeça dos vencedores, Jesus coloca a coroa de glória. Para cada um há uma coroa que traz o seu próprio "novo nome" (Apocalipse 2:17) e a inscrição "Santidade ao Senhor". Em cada mão são colocadas a palma do vencedor e a harpa resplandecente. Então, quando os anjos dirigentes começam a tocar, todas as mãos deslizam com maestria sobre as cordas, produzindo suave música em ricos e melodiosos tons. Todas as vozes se erguem em grato louvor Àquele que "nos ama e nos libertou dos nossos pecados por meio do Seu sangue, nos constituiu reino e sacerdotes para servir a Seu Deus e Pai. A Ele sejam glória e poder para todo o sempre!" (Apocalipse 1:5, 6).

Diante da multidão de resgatados está a cidade santa. Jesus abre as portas, e as nações que seguiram a verdade entram por ela. Então é ouvida a Sua voz: "Venham, benditos de Meu Pai! Recebam como herança o Reino que lhes foi preparado desde a criação do mundo" (Mateus 25:34). Cristo apresenta ao Pai o que foi adquirido através de Seu sangue, declarando: "Aqui estou Eu com os filhos que Deus Me deu" (Hebreus 2:13); "Eu os protegi e os guardei no nome que Me deste" (João 17:12). Quão emocionante será aquela hora em que o infinito Pai, olhando para os salvos, contemplará Sua imagem, banida a discórdia do pecado, removida a sua maldição, e o humano novamente em harmonia com o divino!

A alegria do Salvador consiste em ver, no reino da glória, as pessoas que foram salvas por Sua agonia e humilhação. Os salvos participarão de Sua alegria; contemplam aqueles que foram ganhos por meio de suas orações, esforços e amorável sacrifício. Contentamento lhes encherá o coração ao verem que um ganhou a outros, e estes ainda outros.

O encontro de Adão com Cristo – Quando os resgatados são recebidos na cidade de Deus, um exultante brado ecoa pelo ar. Adão e Jesus, o "segundo Adão" (veja 1 Coríntios 15:45, 47), estão prestes a se encontrar. O Filho de Deus recebe o pai de nossa raça – o ser que Ele criou, que pecou, e por cujos pecados os sinais da crucifixão aparecem no corpo do Salvador. Quando Adão percebe os sinais dos pregos, lança-se em humilhação aos pés de Jesus. Mas o Salvador o levanta, convidando-o a contemplar de novo o paraíso do qual fora separado havia tanto tempo.

A vida de Adão havia sido cheia de tristeza. Cada folha que murchava, cada vítima do sacrifício, cada mancha na pureza do ser humano era uma lembrança de seu pecado. Foi terrível a agonia do remorso ao enfrentar a vergonha que ele trouxe a si mesmo por causa do pecado. Ele se arrependeu sinceramente de seu pecado e morreu esperando a ressurreição. Agora, através da cruz, Adão é reintegrado ao Éden.

Dominado pela alegria, contempla as árvores que já foram o seu prazer, cujos frutos ele próprio colhera nos dias em que vivia sem pecado. Vê as videiras que sua própria mão tratou, as flores de que cuidou com tanto prazer. Isso é, realmente, o Éden restaurado!

O Salvador leva-o à árvore da vida e pede-lhe que coma. Adão contempla uma multidão de sua família resgatada. Lança então sua coroa aos pés de Jesus e abraça o Salvador. Dedilha a harpa, e através do Céu ecoa o cântico de triunfo: "Digno é o Cordeiro, que foi morto" (Apocalipse 5:12). A família de Adão lança suas coroas aos pés do Salvador, inclinando-se perante Ele em adoração. Anjos choraram quando Adão pecou e se alegraram quando Jesus abriu a sepultura de todos os que creram em Seu nome. Contemplam agora a salvação e unem a voz em louvor.

Sobre o "mar de vidro misturado com fogo", está reunida a multidão dos "que tinham vencido a besta, a sua imagem e o número do seu nome". Aqueles que foram redimidos entre os seres humanos estão cantando o "cântico de Moisés, servo de Deus, e o cântico do Cordeiro" (Apocalipse 15:2, 3). Apenas eles podem aprender aquele cântico, pois é o cântico de sua experiência – e jamais alguém teve experiência semelhante. Eles "seguem o Cordeiro por onde quer que Ele vá" (Apocalipse 14:4).

Esses, tendo sido levados ao Céu dentre os vivos, são "primícias a Deus e ao Cordeiro" (Apocalipse 14:4). Passaram pelo "tempo de angústia como nunca houve desde o início das nações" (Daniel 12:1) e suportaram a aflição do tempo de angústia de Jacó. Eles "lavaram as suas vestes e as alvejaram no sangue do Cordeiro" (Apocalipse 7:14). "Mentira nenhuma foi encontrada em suas bocas; são imaculados" diante de Deus (Apocalipse 14:5). "Nunca mais terão fome, nunca mais terão sede. Não os afligirá o sol, nem qualquer calor abrasador, pois o Cordeiro que está no centro do trono será o seu Pastor; Ele os guiará às fontes de água viva. E Deus enxugará dos seus olhos toda lágrima" (Apocalipse 7:16, 17).

Os resgatados na glória – Em todos os tempos, os escolhidos do Salvador andaram por caminhos estreitos. Foram purificados na fornalha da aflição. Por amor a Jesus, suportaram ódio, calúnia, negação própria e amargo desapontamento. Compreenderam quão maligno é o pecado, seu poder, sua culpa, suas desgraças; olham para ele com aversão. Ao perceberem o sacrifício infinito feito para resgatá-los, tornaram-se humildes e com o coração repleto de gratidão. Amam muito, porque foram muito perdoados (veja Lucas 7:47). Participaram dos sofrimentos de Cristo e estão habilitados a participar de Sua glória.

> **O Rei da glória enxugou todas as lágrimas. Todos entoam um cântico de louvor, claro, doce e harmonioso.**

Os herdeiros do reino de Deus vieram dos casebres, dos calabouços, das montanhas, dos desertos, das cavernas. Eles eram "necessitados, aflitos e maltratados" (Hebreus 11:37). Milhões desceram ao túmulo carregados de infâmia, porque recusaram entregar-se a Satanás. Mas agora não são mais aflitos, dispersos e oprimidos. Acham-se com vestes mais belas do que já usaram os maiores nobres da Terra, e coroados com diademas mais gloriosos do que os que já foram colocados nos monarcas terrestres. O Rei da glória enxugou todas as lágrimas. Entoam um cântico de louvor, claro, doce e harmonioso.

A harmonia espalha-se através do Céu: "A salvação pertence ao nosso Deus, que Se assenta no trono, e ao Cordeiro." E todos respondem: "Amém! Louvor e glória, sabedoria, ação de graças, honra, poder e força sejam ao nosso Deus para todo o sempre" (Apocalipse 7:10, 12).

A cruz será o centro – Nesta vida podemos apenas começar a compreender o maravilhoso tema da salvação. Com nossa mente finita, podemos entender de forma muito superficial a vergonha e a glória, a vida e a morte, a justiça e a misericórdia que se encontram na cruz. Porém, mesmo com o máximo esforço de nossa capacidade mental, deixamos de assimilar seu completo significado. O comprimento e a largura, a profundidade e a altura do amor que salva são apenas vagamente compreendidos. O plano da salvação não será completamente entendido, mesmo quando os resgatados virem como são vistos e conhecerem como são conhecidos. Mas através das eras eternas, novas verdades serão continuamente apresentadas à mente cheia de admiração e encanto. Ainda que as tristezas, dores e tentações da Terra tenham terminado, e removidas suas causas, o povo de Deus sempre terá um conhecimento claro e inteligente do que a sua salvação custou.

A cruz será o cântico dos salvos por toda a eternidade. Em Cristo glorificado, eles contemplarão Cristo crucificado. Jamais será esquecido que a Majestade do Céu Se humilhou para levantar o ser humano decaído, que Ele suportou a culpa e a vergonha do pecado e a ocultação da face de Seu Pai, e também que as aflições de um mundo perdido Lhe quebrantaram o coração e Lhe aniquilaram a vida. O Criador de todos os mundos deixou de lado Sua glória por amor ao ser humano – e isso despertará eternamente a admiração do Universo. Quando a multidão dos salvos olha para o seu Redentor e todos entendem que Seu reino não terá fim, irrompem no cântico: "Digno, digno é o Cordeiro que foi morto, e nos resgatou para Deus com Seu precioso sangue!"

O mistério da cruz explica todos os outros mistérios. Será visto que Aquele que é infinito em sabedoria não poderia elaborar outro plano para nos salvar, a não ser o sacrifício de Seu Filho. O resultado desse sacrifício é a alegria de povoar a Terra com seres resgatados, santos, felizes e imortais. O valor de cada pessoa é tão grande que o Pai está satisfeito com o preço pago. E o próprio Cristo, contemplando os frutos de Seu grande sacrifício, fica igualmente satisfeito.

A vitória do amor

Mil anos depois (veja Apocalipse 20), Cristo volta à Terra acompanhado pelos salvos e por uma comitiva de anjos. Ordena aos ímpios mortos que ressuscitem para receber a condenação. Estes surgem como um grande exército, incontável como a areia da praia, e trazendo sobre si os traços da doença e da morte. Que contraste com os salvos!

Todos os olhares se voltam para contemplar a glória do Filho de Deus. A uma só voz, as multidões dos ímpios exclamam: "Bendito é o que vem em nome do Senhor" (Mateus 23:39). Não é o amor que inspira essa declaração. É o peso da verdade que faz surgir involuntariamente essas palavras em seus lábios. Os ímpios saem da sepultura exatamente como eram quando desceram a ela, com a mesma inimizade contra Cristo e com a mesma atitude de rebelião. Não terão outra oportunidade para corrigir os defeitos da vida.

Disse o profeta: "Naquele dia os Seus pés estarão sobre o monte das Oliveiras, [...] e o monte se dividirá ao meio" (Zacarias 14:4). Descendo do Céu, a Nova Jerusalém repousa sobre o lugar preparado, e Cristo, com Seu povo e os anjos, entra na cidade santa.

Satanás toma a decisão de não se render no grande conflito. Reunirá sob sua bandeira os perdidos. Rejeitando a Cristo, aceitaram o governo do líder rebelde, e estão prontos para receber suas ordens. Porém, fiel à sua astúcia original, ele não se apresenta como Satanás. Pretende ser o príncipe que é o legítimo dono do mundo, e cuja herança foi dele extorquida ilegalmente. Apresenta a si mesmo como um salvador, garantindo a seus súditos iludidos que foi o seu poder que os tirou da sepultura. Torna forte aquele que é fraco e a todos inspira com seu espírito e energia, propondo-se a conduzi-los para tomar posse da cidade de Deus. Aponta para os incontáveis milhões que foram ressuscitados dentre os mortos, e declara que, como seu líder, é capaz de retomar seu trono e reino.

Naquela vasta multidão há muitos que pertenceram ao povo de grande longevidade que existiu antes do Dilúvio, pessoas de grande altura e gigantesco intelecto. Indivíduos cujas maravilhosas obras de arte levaram o mundo a idolatrá-los, mas cuja crueldade e invenções más fizeram com que Deus os eliminasse da Terra. Há reis e generais que jamais perderam uma batalha. Na morte não experimentaram mudança alguma. Ao saírem da sepultura, são movidos pelo mesmo desejo de vencer que os governava quando morreram.

O ataque final contra Deus – Satanás consulta esses homens poderosos. Eles declaram que o exército dentro da cidade é pequeno em comparação com o seu, podendo ser vencido. Hábeis inventores constroem instrumentos de guerra. Chefes militares organizam em companhias e batalhões aqueles que possuem habilidade para a batalha.

Finalmente é dada a ordem de avançar, e o incontável exército se põe em movimento – exército tal como as forças combinadas de todas as épocas jamais poderiam igualar. Satanás assume a liderança; reis e guerreiros estão em seu exército. Com precisão militar as fileiras avançam juntas pela rachada superfície da Terra, em direção à cidade de Deus. Por ordem de Jesus, são fechadas as portas da Nova Jerusalém, e os exércitos de Satanás se preparam para atacar.

Então Cristo aparece diante de Seus inimigos. Muito acima da cidade, sobre uma base de ouro polido, está um trono. Sobre este assenta-Se o Filho de Deus, e ao redor estão os súditos de Seu reino. A glória do Pai eterno envolve Seu Filho. O resplendor de Sua presença se estende para além das portas, cobrindo toda a Terra com seu esplendor.

Mais próximos do trono estão aqueles que uma vez foram dedicados na causa de Satanás, mas que, arrancados como tições do fogo, seguiram seu Salvador com intensa devoção. Em seguida, estão aqueles que aperfeiçoaram o caráter em meio de falsidade e incredulidade, que honraram a lei de Deus quando o mundo a considerava anulada, e os milhões de todas as épocas, que se tornaram mártires pela sua fé. E além está a "grande multidão que ninguém podia contar, de todas as nações, tribos, povos e línguas [...] com vestes brancas e segurando palmas" (Apocalipse 7:9). Terminou a sua luta, foi ganha a vitória. O ramo de palmas é um símbolo de seu triunfo, e as vestes brancas são um emblema da pureza de Cristo que agora possuem.

Em toda aquela multidão ninguém atribui a salvação a si mesmo, como se a tivessem alcançado por sua própria bondade. Nada dizem sobre aquilo que sofreram. A nota fundamental de todo o cântico é: A salvação pertence ao nosso Deus e ao Cordeiro.

Pronunciada a sentença contra os rebeldes – Na presença dos habitantes reunidos da Terra e do Céu, é realizada a coroação do Filho de Deus. E agora, investido de majestade e poder supremos, o Rei dos reis pronuncia a sentença sobre os rebeldes que desobedeceram Sua lei e oprimiram Seu povo. "Depois vi um grande trono branco e Aquele que nele estava assentado. A Terra e o céu fugiram da Sua presença, e não se encontrou lugar para eles. Vi também os mortos, grandes e pequenos, em pé diante do trono, e livros foram abertos. Outro livro foi aberto, o livro da vida. Os mortos foram julgados de acordo com o que tinham feito, segundo o que estava registrado nos livros" (Apocalipse 20:11, 12).

Quando o olhar de Jesus contempla os ímpios, eles se conscientizam de todo pecado que cometeram. Veem onde seus pés se desviaram do caminho da santidade: as sedutoras tentações que promoveram na transigência com o pecado, os mensageiros de Deus que desprezaram, as advertências que rejeitaram, a misericórdia repelida pelo coração duro e que recusava o arrependimento – tudo aparece muito claro na mente deles.

Acima do trono é revelada a cruz. Semelhante a uma vista panorâmica, aparecem as cenas da queda de Adão e as sucessivas etapas do plano da salvação. O humilde nascimento do Salvador; Sua vida de simplicidade; Seu batismo no Jordão; o jejum e a tentação no deserto; Seu ministério revelando aos seres humanos as mais preciosas bênçãos do Céu; os dias repletos de atos de misericórdia, as noites em oração nas montanhas; as conspirações de inveja e maldade com que eram retribuídos os Seus benefícios; a misteriosa agonia no Getsêmani, sob o peso esmagador dos pecados do mundo; Sua traição nas mãos da multidão assassina; os eventos daquela noite de horror, o Prisioneiro que não opunha resistência, abandonado por Seus discípulos, denunciado no palácio do sumo sacerdote, no tribunal de Pilatos, diante do covarde Herodes, zombado, insultado, torturado e condenado à morte – tudo é retratado de maneira intensa.

Em toda aquela multidão ninguém atribui a salvação a si mesmo, como se a tivessem alcançado por sua própria bondade.

Em seguida, perante a multidão agitada, são reveladas as cenas finais: o paciente Sofredor trilhando o caminho até o Calvário; o Príncipe do Céu suspenso na cruz; os arrogantes sacerdotes e rabis zombando de Sua agonia mortal; as trevas sobrenaturais marcando o momento em que o Salvador do mundo entregou a vida.

O terrível espetáculo aparece exatamente como foi. Satanás e seus súditos não têm poder para desviar o olhar. Cada ator relembra a parte que desempenhou: Herodes, matando as inocentes criancinhas de Belém; a desprezível Herodias, culpada pelo sangue de João Batista;

o fraco Pilatos, escravo das circunstâncias; os soldados zombadores; a multidão furiosa que clamou: "Que o sangue dEle caia sobre nós e sobre nossos filhos!" (Mateus 27:25). Todos procuram em vão ocultar-se da majestade divina do rosto de Cristo, enquanto os salvos lançam suas coroas aos pés do Salvador, exclamando: "Ele morreu por mim!"

Ali está Nero, monstro de crueldade e vício, contemplando a exaltação daqueles em cuja angústia encontrou prazer satânico. A mãe dele testemunha aquelas ações, vendo como os maus traços, os maus desejos desenvolvidos por sua influência e exemplo resultaram nos crimes que fizeram o mundo estremecer.

Ali estão líderes espirituais que pretendiam ser embaixadores de Cristo, mas utilizaram a tortura, a masmorra e a fogueira para dominar o Seu povo. Ali estão os orgulhosos seres humanos que se exaltaram acima de Deus e ousaram mudar a lei do Senhor. Eles têm uma conta a prestar a Deus. Tarde demais chegam a ver que o Todo-poderoso cuida de Sua lei. Percebem agora que Cristo Se identifica com os sofrimentos de Seu povo e sofre com ele.

Todo o mundo ímpio é agora acusado de alta traição contra o governo de Deus. Não existe ninguém para defender a causa dos perdidos; encontram-se sem desculpa; e a sentença de morte eterna é pronunciada contra eles.

Os ímpios veem o que perderam por sua rebelião. "Tudo isso", exclama o perdido, "eu poderia ter conseguido. Que tremenda presunção! Troquei a paz, a felicidade e a honra pela miséria, infâmia e desespero." Todos veem que sua exclusão do Céu é justa. Através de sua vida declararam: "Não queremos que este homem, Jesus, reine sobre nós."

Derrota de Satanás – Extasiados, os ímpios contemplam a coroação do Filho de Deus. Veem em Suas mãos as tábuas da lei divina que desprezaram. Testemunham o irromper de adoração por parte dos salvos; e ao espalhar-se a onda de melodia sobre as multidões fora da cidade, todos exclamam: "Justos e verdadeiros são os Teus caminhos, ó Rei das nações!" (Apocalipse 15:3). Ajoelhados, adoram o Príncipe da vida.

Satanás parece paralisado. Havendo sido uma vez o querubim principal, lembra-se de onde caiu. Está excluído para sempre do lugar em que recebeu tantas honras. Vê que outro se encontra perto do Pai, um anjo de majestosa presença. Sabe que a elevada posição desse anjo poderia ter sido sua.

A memória recorda o lar de sua inocência, a paz e contentamento que eram seus até se rebelar. Lembra-se de suas ações entre os seres humanos e os resultados disso: a inimizade das pessoas para com seus semelhantes, a terrível deterioração da vida, a destruição de reinos, os tumultos, conflitos e revoluções. Recorda seus constantes esforços em oposição ao que Cristo realiza. Quando contempla os resultados de seu trabalho, vê apenas fracasso. Inúmeras vezes, durante o grande conflito, foi derrotado e obrigado a se render.

O objetivo do grande rebelde sempre foi provar que o governo de Deus era o responsável pela rebelião. Levou multidões a aceitar esse ponto de vista. Durante milhares de anos, esse conspirador tem apresentado a falsidade em lugar da verdade. Mas agora é chegado o tempo em que devem ser revelados a história e o caráter de Satanás. Em seu último e grande esforço para ocupar o trono de Cristo, destruir Seu povo e tomar posse da cidade de Deus, o enganador é completamente desmascarado. E os que se uniram a ele constatam o fracasso completo de sua causa.

Satanás vê que sua rebelião voluntária o desqualificou para o Céu. Durante todo o tempo, esteve aprimorando suas habilidades para lutar contra Deus. Para ele, a pureza e harmonia do Céu seriam uma tortura infinita. Ele se curva e reconhece a justiça da sentença que recebeu.

Todas as questões sobre a verdade e o erro no prolongado conflito foram finalmente esclarecidas. Os resultados da rejeição aos mandamentos de Deus foram revelados diante de todo o Universo. A história do pecado permanecerá por toda a eternidade como testemunha de que a felicidade de todos os seres criados depende da existência da lei de Deus. O Universo inteiro, tanto fiéis quanto rebeldes, de comum acordo declara: "Justos e verdadeiros são os Teus caminhos, ó Rei das nações" (Apocalipse 15:3).

É chegada a hora em que Cristo é glorificado acima de todo nome. Foi pela alegria que Lhe estava proposta – levar muitos filhos à glória – que Ele suportou a cruz. Olha para os resgatados, renovados à Sua própria imagem. Contempla neles os resultados de Seu grande sofrimento e fica satisfeito (veja Isaías 53:11). Com voz que atinge as multidões, justos e ímpios, Ele declara: "Eis a aquisição de Meu sangue! Por estes sofri, por estes morri."

Eliminação dos ímpios – O caráter de Satanás permanece sem mudança. A atitude de rebelião, como poderosa torrente, explode mais uma vez. Ele decide que não se renderá no último e desesperado conflito contra o Rei do Céu. Mas dentre todos os incontáveis milhões que seduziu à rebelião, agora ninguém mais reconhece a supremacia dele. Os ímpios estão cheios do mesmo ódio a Deus que inspira Satanás, mas percebem que seu caso é sem esperança.

"Sobre os ímpios Ele fará chover brasas ardentes e enxofre incandescente" (Salmo 11:6). Deus envia fogo do Céu. A Terra se fende. Chamas devoradoras irrompem de cada abertura no solo. As próprias rochas estão ardendo. Os elementos são desfeitos pelo calor, e também a Terra e tudo o que nela há são queimados (veja 2 Pedro 3:10). A superfície da Terra parece uma massa derretida – um vasto e fervente lago de fogo.

Os ímpios são punidos de acordo com o que tinham feito (veja Mateus 16:27). Satanás tem de sofrer não somente pela sua própria rebelião, mas por todos os pecados que levou o povo de Deus a cometer. Nas chamas, os ímpios são finalmente destruídos, raiz e ramos (veja Malaquias 4:1); Satanás é a raiz, e seus seguidores são os ramos. A penalidade completa da lei foi aplicada; satisfeitas, as exigências da justiça. Está para sempre terminada a ação destruidora de Satanás. Agora as criaturas de Deus estão livres para sempre de suas tentações.

Enquanto a Terra está envolta em fogo, os justos habitam em segurança na cidade santa. Ao mesmo tempo que Deus é um fogo consumidor para os ímpios, para o Seu povo é um escudo (veja Apocalipse 20:6; Salmo 84:11).

"Então vi novos céus e nova Terra, pois o primeiro céu e a primeira Terra tinham passado" (Apocalipse 21:1). O fogo que consome os ímpios purifica a Terra. Todo vestígio de maldição é removido. Não existirá nenhum inferno a arder eternamente para manter diante dos resgatados as terríveis consequências do pecado.

Nosso verdadeiro lar – Apenas uma lembrança permanece: nosso Salvador levará para sempre as marcas de Sua crucifixão, os únicos vestígios da ação cruel do pecado. Através das eras eternas, os ferimentos do Calvário proclamarão o louvor a Cristo e declararão o Seu poder.

Cristo afirmou a Seus discípulos que iria preparar moradas para eles na casa de Seu Pai (veja João 14:2). A linguagem humana é inadequada para descrever a recompensa dos justos. Apenas os que a contemplarem poderão conhecê-la. Nenhuma mente finita pode compreender a glória do paraíso de Deus.

> "Não haverá mais morte, nem tristeza, nem choro, nem dor, pois a antiga ordem já passou."

Na Bíblia, a herança dos salvos é chamada de "pátria" ou país (veja Hebreus 11:14-16). Ali, o Pastor celestial conduz Seu rebanho às fontes de águas vivas. Existem correntes de águas sempre a fluir, claras como cristal, e ao lado delas, árvores ondulantes projetam sua sombra sobre os caminhos preparados para os resgatados pelo Senhor. Ali extensas planícies tornam-se colinas de beleza, e as montanhas de Deus erguem seus elevados cumes. Nessas pacíficas planícies, ao lado daquelas correntes vivas, o povo de Deus, durante tanto tempo peregrino e viajante, encontrará um lar.

"Construirão casas e nelas habitarão; plantarão vinhas e comerão do seu fruto. Já não construirão casas para outros ocuparem, nem plantarão para outros comerem. [...] Os Meus escolhidos esbanjarão o fruto do seu trabalho" (Isaías 65:21, 22). "O deserto e a terra ressequida se regozijarão; o ermo exultará e florescerá como a tulipa" (Isaías 35:1).

"O lobo viverá com o cordeiro, o leopardo se deitará com o bode [...] e uma criança os guiará. [...] Ninguém fará nenhum mal, nem destruirá coisa alguma em todo o Meu santo monte" (Isaías 11:6, 9).

A dor não pode existir no Céu. Lá não mais haverá lágrimas nem cortejos fúnebres. "Não haverá mais morte, nem tristeza, nem choro, nem dor, pois a antiga ordem já passou" (Apocalipse 21:4). "Nenhum morador de Sião dirá: 'Estou doente!' E os pecados dos que ali habitam serão perdoados" (Isaías 33:24).

Ali está a Nova Jerusalém, a metrópole da nova Terra glorificada. "O seu brilho era como o de uma joia muito preciosa, como jaspe, clara como cristal. [...] As nações andarão em sua luz, e os reis da Terra lhe trarão a sua glória. [...] Agora o tabernáculo de Deus está com os homens, com os quais Ele viverá. Eles serão os Seus povos; o próprio Deus estará com eles e será o seu Deus" (Apocalipse 21:11, 24, 3).

Na cidade de Deus "não haverá mais noite" (Apocalipse 22:5). Não haverá cansaço. Sentiremos sempre o frescor da manhã, e ela nunca terá fim. A luz do Sol será substituída por um brilho que não é ofuscante, e, contudo, ultrapassa incomparavelmente o fulgor de nosso Sol ao meio-dia. Os salvos andam na glória de um dia perpétuo.

"Não vi templo algum na cidade, pois o Senhor Deus todo-poderoso e o Cordeiro são o seu templo" (Apocalipse 21:22). O povo de Deus tem o privilégio de manter aberta comunhão com o Pai e o Filho. Contemplamos agora a imagem do Criador como que refletida num espelho, mas naquele momento veremos a Deus face a face, e nada vai impedir esse contato direto.

O triunfo do amor de Deus – Na nova Terra o amor e a simpatia que o próprio Deus plantou no coração encontrarão o mais verdadeiro e suave exercício. O relacionamento puro com os seres santos e com os fiéis de todas as épocas, os sagrados laços que reúnem "toda a família nos Céus e na Terra" (Efésios 3:15) – tudo isso contribui para a felicidade dos salvos.

Ali, com alegria que jamais se cansará, mentes imortais contemplarão as maravilhas do poder criador, os mistérios do amor que salva. Todas as habilidades serão desenvolvidas, todas as capacidades serão ampliadas. Adquirir conhecimento não esgotará as energias. Os mais grandiosos empreendimentos poderão ser executados, alcançadas as mais elevadas aspirações, realizadas as mais altas ambições. E surgirão ainda novas alturas a atingir, novas maravilhas a admirar, novas verdades a compreender, novos objetivos a despertar as habilidades da mente e do corpo.

Todos os tesouros do Universo estarão abertos aos resgatados por Deus. Livres da morte, levantarão voo incansável para os planetas distantes. Os filhos da Terra têm acesso à alegria e sabedoria dos seres que nunca pecaram e compartilham da sabedoria adquirida durante séculos e séculos. Com visão clara, olham para a glória da criação – sóis, estrelas e sistemas planetários, todos na sua indicada ordem, circulando ao redor do trono da Divindade.

À medida que passam os anos da eternidade, surgirão mais e mais gloriosas revelações de Deus e de Cristo. Quanto mais os seres humanos aprendem sobre Deus, mais admiram Seu caráter. À medida que Jesus abre diante deles as belezas da salvação e Suas maravilhosas realizações no grande conflito contra Satanás, o coração dos salvos vibra com devoção, e milhões de milhões de vozes se unem para expandir o poderoso coro de louvor.

"Depois ouvi todas as criaturas existentes no Céu, na Terra, debaixo da Terra e no mar, e tudo o que neles há, que diziam: 'Àquele que está assentado no trono e ao Cordeiro sejam o louvor, a honra, a glória e o poder, para todo o sempre!'" (Apocalipse 5:13).

O grande conflito terminou. Pecado e pecadores não mais existem. O Universo inteiro está purificado. Uma única pulsação de harmonia e alegria vibra por toda a vasta criação. DAquele que tudo criou emanam vida, luz e felicidade por todos os domínios do espaço infinito. Desde o minúsculo átomo até o maior dos mundos, todas as coisas, animadas e inanimadas, em sua serena beleza e perfeita alegria, declaram que Deus é amor.

Se você gostou da mensagem deste livro
e deseja mais informações, visite:
www.esperanca.com.br

Caso você deseje conhecer um de nossos locais
de reunião, encontre o endereço em:
www.encontreumaigreja.com.br

Saiba mais sobre a mensagem de esperança que
a Bíblia tem para você e sua família. Acesse:
www.estudeabiblia.com.br

Você pode também entrar em contato conosco
através do e-mail:
atendimento@esperanca.com.br

Conheça também a Rádio e TV Novo Tempo:
www.novotempo.org.br

Saiba que Deus tem um plano especial para sua vida.
Procure conhecê-lo melhor e viva com mais esperança.